L'ABSENCE

DU MÊME AUTEUR

La ligne du risque, essais, HMH, 1963; réédité avec une préface de François Ricard, 1977.

L'autorité du peuple, essais, L'Arc, 1965; HMH, avec une préface de François Ricard, 1977.

Lettres et colères, essais et articles, Parti pris, 1969.

La dernière heure et la première, essai sur l'indépendance du Québec, L'Hexagone/Parti pris, 1970, L'Hexagone, 1980.

Un amour libre, récit, HMH, 1970.

Indépendances, essai philosophique, L'Hexagone/Parti pris, 1972.

Un génocide en douce, écrits politiques polémiques, L'Hexagone/Parti pris, 1976.

Chaque jour, l'indépendance, articles politiques, Leméac, 1978.

Les deux royaumes, essais littéraires et philosophiques, L'Hexagone, 1978.

To be or not to be, that is the question, essais et articles politiques, L'Hexagone, 1980.

Trois essais sur l'insignifiance, essais philosophiques, L'Hexagone, 1983.

Trois essais sur l'insignifiance, suivis de *Lettre à la France*, Albin Michel, 1983.

Pierre Vadeboncoeur

L'ABSENCE

Essai à la deuxième personne

Boréal Express

Photo de la couverture: *L'absence*. Sculpture de glace et de neige (1 m 75), mars 1985, réalisée par l'auteur.

Distribution exclusive pour le Canada:
Diffusion Dimédia, 539, boul. Lebeau
Saint-Laurent, Qué., H4N 1S2

Distribution pour la France:
Distique: 9, rue Édouard-Jacques
75014 Paris

Données de catalogue avant publication (Canada)

Vadeboncoeur, Pierre

    L'absence — essai à la deuxième personne

    2-89052-136-2

    I. Titre.

PS8543.A33A72 1985   C844'.54   C85-094143-X
PQ3919.2.V32A72 1985
PS9543.A33A72 1985

© LES ÉDITIONS DU BORÉAL EXPRESS
5450, ch. de la Côte-des-Neiges
Montréal, Qué., H3T 1Y6
ISBN 2-89052-136-2
Dépôt légal: 3ᵉ trimestre 1985
Bibliothèque nationale du Québec

à François Ricard

1

Le portrait

Dans certaines représentations, une identification se réalise: on ne voit pas tant l'être symbolisé à travers elles que celui-ci naître à nouveau par elles, sous une autre forme, plus intérieure. Elles sont alors ce qui existe, mais dans un état supérieur, dans un état de dire. Chaque jour, regardant votre portrait, je ne me trouvais pas devant un quelconque tableau qui m'aurait fait penser à vous, mais devant votre individualité même, toutefois plus illuminée d'un savoir que semblait méditer cette figure apaisée.

Un des traits de notre époque, c'est de viser à supprimer ce qui, voilant d'humanité plus rare une chose, l'exprime de ce fait plus ineffablement. L'amour devant le sexe, ou la joie inconditionnelle devant le bonheur, disent plus, respectivement, que ce qu'ils recouvrent et surclassent. Vous aimer par un dessin aujourd'hui n'a plus de sens. L'époque écarte ces voiles et tend à éliminer l'univers symbolique, à l'éliminer comme vain et gênant système d'images, sans se rendre compte qu'elle l'écarte du même coup comme système supérieur de réalité.

J'ai fait ce portrait d'après une photo. Puis je n'ai pu dissiper le désir que j'avais de le revoir, si bien que je l'ai placé bien en vue dans la pièce où je passe la majeure partie de mon temps. La photo elle-même, d'ailleurs plus petite, me laisse indifférent. C'est une image entièrement neutre, comme presque toujours les photos. Il n'en va pas de même pour mon dessin.

Je sais, sans pouvoir le démontrer, que c'est à cause de l'art, dans ce qu'il a de plus involontaire, que quelque chose de spirituel voyage de vous à moi par le truchement de cette surface impressionnée non mécaniquement. De spirituel mais aussi d'étonnamment personnel.

Je ne vous dis pas cela par un quelconque lyrisme ou pour traduire (par de la mauvaise littérature) un hommage que je ne saurais comment tourner. Non, j'exprime ici avec autant d'objectivité qu'un chercheur un fait que j'observe avec précision. La lumière de la lampe ou du jour arrivant sur ce portrait réfléchit de vous ce qui est de votre âme. Ce n'est pas parce que les yeux, dessinés comme ils le sont par un procédé bien académique, luisent et notamment contiennent à la pupille l'éclat d'un point brillant, ou bien parce que la bouche, à cause de la sinuosité d'une ligne, paraît sourire. Ce n'est pas non plus à cause des ombres, ni même, ni surtout parce que, grâce à certains trucs archi-usés, j'aurais, comme c'est facile, réalisé l'animation réaliste du visage. Cela est déjà dans la photo en bien mieux. Aucun artifice tendant à reproduire vos traits ou votre expression n'assure l'effet que je mentionne. La fidélité minutieuse du dessin par rapport au modèle n'est rien, ni d'ailleurs son infidélité. Ce qui vous ressemble dans ce portrait ne fait de soi rien vivre. Celui-ci, en tant que votre image plus ou moins juste, ne véhicule rien de vous à moi, enfin rien de plus que ce qu'une photo pourrait porter. Autre chose vraiment intervient, un autre principe, qui s'interpose. C'est quelque chose d'impartial autant que de vivant. Le dessin possède une propriété exclusive à l'art et dont l'effet est immanquable. Le simple fait qu'il y ait dessin garantit une circulation de la psyché. Je le redis, c'est votre âme, c'est votre palpitation spirituelle qui se trouve là captée. C'est vous-même et c'est singulièrement votre lumière non physique. C'est pourquoi je vous disais que ce dessin me purifie. Le dessin a pour effet d'ôter tout obstacle entravant le contact sans détour avec elle. Il amène toute fraîche la première vérité qui sort d'un être et il la répercute telle quelle. Elle est dans ce dessin exactement comme elle se trouve vivante dans le sujet et elle y est de même teneur. Il n'y a pas de différence; ou plutôt si, il y en a une; c'est que la personne ne peut, dans le dessin, l'obnubiler plus ou moins comme dans la vie.

J'aimais de plus en plus ce portrait. Je n'avais rien prévu de tel. Je l'ai accroché au mur, devant ma table de travail, et ainsi il me fait face. Je lui ai donné une place permanente, en le suspendant à cet endroit après l'avoir encadré. Si son exposition ainsi durable soulignait quelque chose, c'était bien que le rayonnement émanant de lui seul ne devait pas cesser, ce qui est toujours produit par l'art. Parmi ces rayons passaient non seulement le rappel de vos traits, voire de votre personne, mais votre lumière de source, votre intelligence visible.

Le dessin à ces égards n'a pas d'opacité. Rien donc ne peut le remplacer. Il émet, comme une cause radio. Ce qu'il émet notamment, ce sont les ondes d'origine de la personne représentée. Il vit. Il ne peut pas mourir. Ceci n'est une figure de style. C'est une vérité préalablement examinée par moi en vue d'en déterminer la bien réelle exactitude et, à cette fin, c'est une idée plusieurs fois comparée au phénomène dans le but de voir si elle l'exprime tel qu'il est. Le dessin ne meurt pas. Il continue indéfiniment d'être actif. Est-il donc en contact avec le principe d'immortalité? Il a de l'énergie, il signale perpétuellement.

Naturellement, vous comprendrez pourquoi cet ouvrage qui était un pauvre dessin me faisait tant plaisir. Vous y étiez en personne et encore par votre clarté la plus subtile. Je ne pouvais pas ne pas sentir cette présence légère s'élever comme par sublimation déjà réalisée. Et alors il y avait là comme un ingrédient d'immortalité en effet. Vous y étiez devenue vous-même par votre meilleure part, celle-ci soutenue comme ne devant pas finir.

Mais je sais que de telles impressions me sont relativement exclusives, parce que d'une part je dessine, ce qui est un privilège, et, d'autre part, parce que j'ai engagé mon existence dans des chemins qui ne sont pas évidents pour le sens trop ordinairement prochain des choses. Là, dans des lieux différents, cessent, au profit d'un acte durable, tous les actes éphémères. Vous êtes au rendez-vous de ce premier au-delà et y avez une place par des clartés intérieures qu'on voit éclairer l'ensemble du tableau comme si vous y étiez entièrement composée d'elles.

Un portrait au crayon est comme une ombre faite de luminosités. Ou bien il est comme l'instant où, le mouvement du règne extérieur s'étant arrêté, commence, passé ce point neutre, le mouvement de l'autre règne vers le dedans de tout.

Le portrait, en nous faisant pénétrer dans un monde autre, ne nous introduit pourtant pas dans le factice, pas plus du reste qu'il ne nous fait tourner le dos à ce que nous aimons tangiblement dans le premier. C'est vous-même que je retrouve derrière la vitre qui recouvre ce dessin et ce n'est pas une création substituée, une sorte de figure de paix qui ne serait pas vous. C'est, dans un autre état, vous-même. Vous avez progressé dans une matière différente et quelque peu sacrée, mais c'est vous, ce n'est pas une invention même partielle. Je vous y retrouve donc, mais éminemment. C'est vous, mais indiscutablement. S'il en était autrement, ce portrait m'éloignerait de vous. Au contraire, il me rapproche. Plus n'apparaissent de vous, par l'opération de l'art, que vos traits intérieurs les plus nobles, plus vous devenez apte

à être comprise. Le rare explique beaucoup d'un être;
l'ordinaire, peu de chose.

Ce portrait agissait sur moi. Il me tenait à sa hauteur,
par vous. Mais en fin de compte, s'il m'était si précieux,
ce ne pouvait être pour sa facture mais plutôt à cause du
fait que, transposée dans une irréalité qui ne serait que
le lieu d'un autre réel, vous n'en étiez par lui que plus
vraie et je vous y découvrais incomparablement mieux.
Par lui vous passiez vers moi l'invisible écran empêchant
une vérité. Celle-ci me devenait alors mieux perceptible
et directement un bienfait. Franchise des yeux, probité
du sourire, voilà ce qui, entre autres, de vous, passait
librement entre l'extérieur et l'intérieur, dans le personnage
montré par le dessin, comme s'il n'y avait plus de frontière
entre ces deux parts. Je ne vous ai peut-être jamais aussi
sensiblement comprise qu'à la faveur de cette écriture.

À aucun moment on ne cherche à exprimer quoi
que ce soit par le portrait ni à y faire ressortir d'attributs
qui ne soient matériels. Mais tout affleure ensuite, comme
à travers un tissu dans la texture duquel des encres feraient
d'une manière autonome apparaître un dessin inconnu,
qui est dans le cas votre apparition. Je ne vous ai jamais
mieux regardée qu'à travers ce portrait, mais, au surplus,
je n'ai jamais aussi bien saisi les «raisons» de mes sentiments envers vous, où admiration se mêle à poésie.

Votre fraîcheur s'offre aussi dans ce tableau. Elle
paraît sans avoir été cherchée, comme les beautés non
matérielles dont je parlais. Elle vient se présenter d'elle-
même sous les accidents du médium, traits, ombres, par
lesquels il ne s'agissait pourtant que de cerner des contours
et de donner l'illusion des volumes. Même des grâces
physiques peu définissables tendent à se montrer dans
un portrait, tant est sensible l'instrument employé. Le
trait fait cela par son propre attribut, d'ailleurs, et sans
être guidé. Jeunesse, éclat; actualité du regard; facilité
du sourire; tout se traduit, sans être aidé. Et ce n'est pas

une traduction, c'est le charme vital lui-même qui se manifeste par on ne sait quel passage. Car, après tout, le dessinateur ne songeait qu'à la précision extérieure de la ressemblance. Il faut croire que l'esprit, à travers la matière, pousse inlassablement vers sa propre gloire et que la plus petite chance lui est toujours favorable.

C'est par la distance qu'on s'approche le plus. Mais l'œuvre d'art fait davantage: elle ne met pas comme dans la vie un éloignement mesurable entre deux sujets (lequel, parfois, favorise d'ailleurs aussi l'intériorité et donc une intimité rendue plus parfaite). Ce qu'elle fait, c'est d'introduire une distance d'une autre nature. Non pas celle, banale, qui sépare deux personnes dans un ordre donné (l'ordre physique, par exemple), mais bien celle qui oppose deux ordres distincts, et, dans ce portrait, c'est éloignée par ce facteur irréductible que je vous vois. Mais justement, il ne s'agit pas de le réduire; ce n'est d'aucun intérêt puisque, votre personne ayant, par l'art, changé d'univers sensible, celui où je vous retrouve alors ne connaît pour mieux dire ni la distance ni la proximité mais seulement quelque chose qui ressemble à une présence ni proche ni reculée, débarrassée de ces critères et entièrement au cœur de ce qui est. Pareille présence est étrangère à nos catégories et à nos contingences — elle évoque; mieux: elle fait toucher par un autre sens du tact. Dans ce lointain de privilège et d'exception où vous voilà devenue, vous m'êtes étrangement donnée.

Vérité en tout ce que vous êtes, je sais que cela vous caractérise, n'ayant jamais pu déceler en vous le moindre interstice de mensonge, en aucune circonstance ni suite de circonstances aussi étendue que l'on voudra. Pareille netteté est sans doute presque unique. Dans votre comportement comme dans tout ce que vous dites et pensez, vous êtes vérité vraie. Cela vous est si naturel que vous ne vous en avisez même pas. Il ne vous vient pas à l'esprit de vous savoir si véritable. Vous ne vous comparez jamais sous ce rapport et vous ne songez pas une fois à faire la différence. C'est cette perfection-là qui descend de votre regard dans le portrait que j'ai fait sans porter attention à celle-ci, et je me souviens bien que je me concentrais tout simplement sur la difficulté de reproduire sur le papier la forme objective de vos yeux, nullement de créer l'impression de ce qu'ils pensent...

L'art ne s'occupe guère de l'expression du modèle. Elle n'entre pas dans le dessin pour aller s'y loger et de là se répandre parce qu'on l'y aurait mise. Même l'expression des expressionnistes ne vient que partiellement de leur parti pris et elle serait un échec si la matière, le pigment, le coup de pinceau et d'autres éléments qui ne nous demandent pas notre avis ne se rencontraient dans leur ordre propre pour émettre à l'énième degré de transmission de l'indicible un langage certain pour l'âme. Un peu de la même façon, votre manière d'être, si droite, se disait bien plus clairement dans mon dessin que dans la photographie où j'avais pris les mesures de vos traits. Ce n'était pas à cause de moi mais de la translucidité exclusive à la matière travaillée. Je m'en trouvais d'ailleurs surpris. Ce portrait respirait et inspirait une limpidité dont je savais qu'elle venait bien de vous, mais elle était passée par un chemin impossible à retracer du modèle au papier via une photo sans intérêt, et on ne l'expliquait pas non plus par mon acte, appliqué à tout autre chose qu'à rendre un climat ou un sentiment. Il y avait du bonheur pour moi dans ce supplément de sens se répandant depuis ce qui ne pouvait être physiquement que contrastes matériels, picturaux. J'étais assez fasciné par cette effigie de vous. Elle diffusait un jour discret, égal, comme une lampe. C'était le vôtre, non pas un flux indifférent, cosmique. Il remontait à une personne, il en émanait. Mais il n'en appartenait pas moins à l'imprescriptible existence de ce qui est sans nous. Il avait donc changé de plan et le dessin avait porté votre fragile et merveilleuse humanité jusqu'à celui où rien ne diminue.

Tout cela est trop spécial et je me demande si vous pouvez bien suivre le fil de cette description, pourtant scrupuleuse de vérité. Elle pourrait au surplus vous sembler raffinée avec excès. Si j'essayais de vous dire, par exemple, que ce portrait m'apparaissait comme votre empreinte morale, que vous y auriez laissée sans vous en rendre compte et qui ne serait pas inerte comme le sont d'ordinaire les empreintes, comprendriez-vous que celle-là présentait de vous non seulement un souvenir mais quelque chose d'un avenir même? Qu'est-ce que c'était également que cette image de vous? Plus qu'une image: un sourire, une inclinaison de la tête, une pensée, une respiration. Je tente au fond de deviner pourquoi ce portrait, que j'avais exécuté dans le dessein de vous faire plaisir, a tout de suite commencé à me faire plaisir à moi-même, et alors je ne vous l'ai pas donné, je l'ai gardé pour moi. Mais c'est que je me suis aperçu que j'en avais besoin. Il m'était d'une douceur que je n'avais pas prévue.

2

L'antichambre

Tout est de l'art, depuis les petits dessins que je me suis remis à crayonner il y a quelques mois jusqu'aux pures empreintes que sont les figures tracées par Jean Cocteau comme s'il les avait prises toutes faites, par prélèvement prodigieux, dans ses imaginations orphiques, pour les poser à plat sur une feuille sans en déranger la moindre ligne. Tout est de l'art, qui reste du côté de l'art, même s'il ne s'agit que de copies primaires de la nature comme j'en fais de temps à autre. Par contre, il est certainement facile de faire autre chose que du cinéma quand on fait du cinéma, et autre chose que du dessin quand on fait du dessin. Notamment, pour ce qui est du film, montrer des images visant directement à faire rentrer le spectateur dans de l'existence concrètement vécue, par l'excitation sexuelle ou par l'agression psychique. Et notamment, pour ce qui est du dessin, tricher aussi mais cette fois par une sentimentalité qui par rapport au dessin n'a aucune pertinence. Vous savez qu'en tout art il y a une ligne de partage du vrai et du faux et que celle-ci est différente de celle qui sépare les grandes œuvres des petites ou celles-ci des infimes... Mes dessins ne sont presque rien, je vous l'ai déjà dit: traditionnels à souhait et pleins d'insuffisances et de défauts eux-mêmes minuscules. Mais ce sont des dessins. Voilà tout. Je m'aperçois, au bout de quelques jours ou de six mois, qu'ils me répondent si je les interroge. Pour moi, ce sont incontestablement des œuvres d'art et pour moi elles sont véritablement importantes. Pour moi seul, bien entendu. Une grange à gauche, un ruisseau vers la droite, deux éléments de béton se faisant face, vestiges d'un petit pont, et puis des arbres plus ou moins éloignés faisant un fond qui cache la ligne d'horizon, ainsi que trois ou quatre arbres proches et distribués par le hasard mais composant bien avec le reste sur la ferme et sur ma feuille, comme si mon dessin avait été prévu et tout organisé déjà par un autre œil. Il y a trois jours, j'ai tiré ce dessin-là du carton où il dormait depuis plusieurs mois et je l'ai posé sur ma table. D'ailleurs ce n'était pas l'original mais une photocopie que je conserve aussi, car la photocopieuse donne à partir d'un dessin au crayon mou une version amaigrie et pleine de marques qui font un drôle d'effet. Le dessin ou sa photocopie possèdent une vie à part de tout ce qui vit comme de tout ce qui ne vit pas; une autre vie donc, et tout aussi éloignée de la matière inerte, ce qui indique bien un troisième état, comme je le pense, et voilà bien le signe de l'art, comme toujours. Un dessin n'est pas distinct seulement à la façon dont n'importe quel objet l'est aussi à cause du fait que son existence propre ne saurait se confondre avec une autre. Il s'agit de quelque chose de plus (qui en réalité change ici la nature de l'individualité): un dessin jouit d'une indépendance active par rapport à tout ce qui existe de l'univers visible. Je ne passe pas devant sans ressentir son influence. Cette «œuvre», je l'avais mise comme je l'ai dit sur ma table, à cause d'une familiarité particulière que je sens toujours envers mes dessins. Ces composés étranges sont de moi — et ne sont pas de moi puisqu'il y a la matière, et cette composite origine, je suppose, me captive. Ces dessins me causent un plaisir à part de tout ce que l'on peut connaître si ce n'est par l'art. Je m'arrête alors devant eux et pas seulement une fois. Un dessin pèse un poids différent — on dirait ontologiquement — de tout ce qu'il y a d'autre autour et qui n'est pas œuvre d'art. Celui dont je parle pesait aussi au fond de moi d'une légèreté à nulle autre pareille. Je dois rendre compte de ces effets qui ne sont pas des inventions. Ce poids parmi les choses et ce poids en moi sont le même. Ce qui est bizarre mais tout caractéristique de l'art, c'est que la présence ainsi manifestée par des effets sensibles équivalant à autant de petits événements incomparables, cette présence d'un objet tout de même matériel et conséquemment privé de conscience, provoque en moi une réponse plus particulière et plus surprenante que toute autre en l'espèce : à n'en pas douter un amour, un sentiment participant de la nature de l'amour très certainement.

L'avantage de dessiner, sans égard au peu de valeur du résultat, c'est que, devant un dessin que l'on a fait soi-même, un contact déjà tout intérieur avec lui permet d'apprendre de lui ce qu'il sait, et bien plus aisément que d'un autre. Mon médiocre paysage m'était nécessaire et je n'exagère rien en affirmant que, dans les instants où il m'occupait, non en le faisant mais plus tard, *j'aimais par lui*. Il y avait là disproportion, sans doute, mais le fait est d'autant plus significatif que nulle proportion visible entre une telle cause et un tel effet n'existe raisonnablement.

Ce n'est pas que je le voyais mieux qu'un dessin de maître ou pouvais mieux connaître ses qualités et ses défauts ; beaucoup moins bien, en réalité : ma relation avec un fusain ou autre ouvrage plastique de ma façon s'établit en dehors de l'esprit critique, de toute volonté d'étude, de toute approche avertie. J'entre dans le cosmos d'un tel tableau aussi facilement qu'on entre dans un

lieu, tout simplement. Et j'y suis heureux. Il y a davantage:
j'y entre sans trop «lire» le dessin lui-même, comme si
j'étais d'abord soumis à un don qu'il exercerait sur moi
et comme si conséquemment je ne me trouvais pas vraiment
là dans le rôle d'un spectateur.

Je m'apercevais donc par mes propres «œuvres»
que la pénétration dans un monde pictural entre les quatre
moulures d'un cadre pouvait se faire de façon indépendante
d'une appréhension visuelle aiguë qui serait celle d'un
connaisseur. Cette expérience me fournissait des rensei-
gnements inédits sur les conditions d'une effraction efficace
dans l'espace intérieur d'une œuvre d'art; elle paraissait
démontrer qu'une proximité tout humaine avec l'œuvre
permet d'aller plus loin dans celle-ci. Peut-être cette idée
trouve-t-elle sa vérification ailleurs, dans ce qui se passe
par exemple avec la chanson populaire. Celle-ci, règle
générale, n'est pas soumise au tamisage du «goût» ou
du «jugement». L'auditeur ne s'interroge pas, ne s'inquiète
de rien. Il n'examine rien. Il écoute, il s'émeut, ou bien
il reste froid et alors il constate que cette chanson l'intéresse
peu. Pas question de chercher à la sauver. L'humain,
sous quelque aspect, est toujours directement en cause
dans cet art. Et l'humain demande sa nourriture sans
complication, vu sa nature. Or, à cause de lui, le plaisir
est extraordinairement entier, complet, et l'auditeur se
déploie dans cette œuvre avec autant d'aise que dans la
vie. Il en reçoit d'emblée toute la poésie. L'humain, qui
est là le premier, est cette large faculté qui n'en laisse
rien perdre, ni d'ailleurs rien se quintessencier. La culture
esthétique savante n'a pas un grand rôle à jouer là.
L'homme, en ce cas, cherche d'abord non pas précisément
ce qu'il jugerait beau mais plutôt ce qu'il trouverait bon.
Il arrive que l'un et l'autre coïncident. Quoi qu'il en soit,
par le biais de l'humanité simple, immédiatement, sans
détour, on passe sous l'empire envoûtant du langage et
on le comprend avec tout son être.

Quelque chose de semblable m'arrive avec mes propres dessins, que je n'aborde pas de l'extérieur, ni selon des critères de connaissance de l'art. Situation privilégiée, qui ne vaut guère naturellement que pour soi, mais qui indubitablement me révèle si familier avec mon ouvrage que d'une certaine façon je ne me distingue pas vraiment de lui, et j'entends comme de l'intérieur le langage d'art que, modestement mais réellement, il est apte à tenir. Alors il se fait une sympathie entre ce dessin et moi, comme envers un être. Il m'est une présence, tierce encore ici malgré tout. Si je précise un des aspects du sentiment qu'il suscite en moi, je dois dire (quoique ceci puisse paraître outré) que, en station devant un tel dessin, je me repose de l'existence... Je repose de celle-ci ma plus pure existence...

Entré dans un univers intemporel dont mon dessin est une sorte d'antichambre, loin cependant de m'y trouver à part de l'existant, j'y acquiers au contraire plus d'être...

Mais sans doute devez-vous éprouver quelque difficulté à me suivre dans la description d'une pareille expérience. Vous ne dessinez pas vous-même et ceci fait la différence. Essayez tout de même de comprendre en vous servant pour cela d'analogies puisées dans votre propre connaissance de l'art, même s'il vous manquera ici l'élément d'intimité nécessaire et présent chez l'artiste lorsqu'il s'agit de son propre produit. Imaginez que, contemplant mon dessin dans la paix et dans un bonheur qui est une paix, je viens de m'extraire du courant accidenté et tumultueux de la vie. Préservé du cours de celle-ci, soustrait d'autant à sa réalité, j'accède à des faits d'un autre ordre. C'est alors comme si, par ce dessin, j'avais pénétré dans le merveilleux envers caché qui serait en vérité l'endroit de tout ce qui existe.

Mais je tenterai de développer plus concrètement ce qui précède. Le ruisseau, gêné par une large table de pierre polie qu'il devait contourner, faisait en deçà une nappe d'eau tranquille, elle-même bordée par des pierres plus ou moins plates, marquées sur ma feuille par des traits qui en cernaient les contours. L'eau avait des reflets comme un miroir. Cette glace n'était rien par elle-même. J'entends que cette surface à effets ne comptait pas pour beaucoup dans le pouvoir du dessin de capter le regard. Ce qui arrêtait plutôt ce dernier et l'entraînait dans l'univers second que j'évoque, c'étaient davantage les traits très appuyés qui la bornaient et dont le rôle me semblait être de suggérer à l'œil la pérennité de l'être dans la réalité des choses, de sorte que cette partie du ruisseau paraissait ainsi perpétuée dans l'ordre de l'existence parfaite. Mais elle ne l'était pas en elle-même, dans sa réalité physique, dans son existence propre, extérieurement au dessin, laquelle demeurait emportée par le grand chaos de l'évolution. Il y avait miracle, mais dans le dessin seulement ou par son entremise. Ce fait n'avait pas lieu dans la nature. Si je retournais le lendemain devant le même paysage, celui-ci ne paraissait pas du tout se souvenir d'avoir été pendant une heure souligné d'éternité. De fait, il ne s'était rien passé pour lui. L'eau du ruisseau coulait toujours aussi futilement et les arbres, les herbes, allaient un jour ou l'autre mourir. Rien de lui ne s'était imprimé d'étrange sur une rétine idéale. L'existence incertaine, évanescente, disait d'elle-même que personne ne parviendrait jamais à la saisir ni à en sauver quoi que ce soit.

Un paysage n'est donc rien sous cet aspect. Mais ce qui naît sur une toile ou sur une feuille de papier en passant pour cela par son image plus ou moins respectée ou plus ou moins trahie n'est plus ce paysage, malgré la ressemblance. L'essentiellement durable ne s'avance que dans ce petit rectangle de papier à la rencontre du regard qui mystérieusement l'escompte. Nullement ailleurs.

Vivais-je donc indirectement — mais par là même plus directement? Voilà une question abrupte et vous

vous demandez sans doute ce qu'elle veut plus particulièrement dire dans ces textes où il est ou sera beaucoup
question de vous et par exemple de vous représenter par
la correspondance ou le portrait sous des traits révélés.
Vivre indirectement: cela tranchait sur les rapports sans
détour qu'on entretient d'ordinaire avec tout. Ma vue
passait par un prisme, qui est une troisième réalité s'interposant pour décomposer la première vision des choses.
Me voici devant ce paysage, qui ne change plus bien que
continuant de vivre, mais, par le dessin, il vit maintenant
comme on est et non plus comme on passe. Pensez-vous
que dès lors mon sentiment pour lui ne se soit pas forcément
métamorphosé? J'accède enfin, par procédé indirect, au
toucher le plus direct qui soit jamais possible. Au fait, le
dessin dont je parle est la seule chose que je voudrais
voir demeurer de ce coin de campagne, car, c'est bizarre
mais trop vrai, celui-ci je n'y tiens guère, s'il m'a jamais
d'ailleurs importé pour lui-même. Il me faut rendre compte
de ce fait minuscule mais surprenant: je ne prête qu'une
attention distraite à ce qui fait le sujet d'un tel dessin,
tel que je puis toujours le revoir, mais le dessin lui-même
me tire à lui, me captive, indéfiniment. Comme cet effet
est aussi sans commune mesure avec la petite chose né-
gligeable qui le produit, il faut bien qu'une partie cachée
de l'attention de mon être ait été sollicitée par ce dessin,
par *le* dessin, d'avance en quelque sorte, c'est-à-dire au
fond par autre chose. La nature, dans ce cas, se trouvait
plus qu'avantageusement remplacée. Elle s'avérait impuissante à faire ce que réussissait l'art. Il suffisait de
passer d'un plan à l'autre, indépendamment de la qualité
de l'intervention artistique, pour qu'un tel effet survienne.
Celui-ci se produisait nécessairement. Il s'agissait sans
doute de deux mondes irréductibles l'un à l'autre, et le
passage du premier au second s'effectuait dès que d'un
tout premier trait je commençais à faire comme si le
paysage objectif se transposait sur ma feuille de papier.

Solution de continuité. Le paysage ne devenait point le dessin sans d'une certaine façon mourir entièrement à sa première réalité et sans que surgisse «en écrit» sous les apparences du premier un lieu plus ou moins spectral et d'une autre origine.

Par l'œuvre, si vous pouvez y entrer — ce qui n'est pas toujours possible —, vous vous engagez dans des espaces *entièrement propices*. Le fait est exorbitant de notre condition évidente. C'est comme si l'objet n'obéissait plus aux mêmes lois que dans la vie réelle. Dans le dessin dont je fais ici le point d'appui de réflexions susceptibles de s'appliquer à l'art en général, je circulais incomparablement plus libre que dans mon existence; plus libre et comme porté par la constance qui s'y trouvait. La grande différence, c'est que le bonheur qu'il y a dans une œuvre d'art n'est pas menacé. Par conséquent il soutient. Ce bonheur semble emprunter à la permanence de l'être son assurance étrange. Il l'emprunte et peu importe avec quelle abondance: un rien de cet état suffit, vu ce qu'il paraît garantir. Une profondeur est en cause dans une expérience pareille et ce n'est pas la profondeur supposée du spectateur; c'est celle, seulement pressentie, que nous connaîtrions couramment dans notre vie si nous étions situés à un autre niveau des degrés de l'existence.

Toutefois, dans une œuvre figurative, il n'appartient pas à la forme peinte ou dessinée seule d'exercer cet effort d'être; malgré ce que je disais il y a un moment, le sujet réel, laissé derrière mais amené différemment sur le papier et contraint par la règle impartiale du trait, y manifeste comme par prodige sa propre résistance ou plutôt celle du fond de tout. C'est, dirait-on, sa nécessité cachée qui s'est imprimée là. Le sujet d'un dessin figuratif collabore au travail que je dis. Il ne s'évade pas entièrement pour alors laisser toute la place à une composition picturale ressemblante qui lui succéderait absolument. Il persiste, transformé par une opération étrangère à ce qui peut agir sur lui dans la nature. Ce n'est pas seulement son image qui continue ainsi d'agir mais lui-même, tel que par le dessin l'esprit l'évoque dans le concret reculé qu'il ne cesse pas d'avoir. Du reste, dans l'art non figuratif, il n'en va pas beaucoup autrement souvent, puisque les formes qui ne rappellent rien n'en créent pas moins quelque chose comme autant d'objets qu'on imagine exister non pas uniquement sur la toile mais aussi dans une réalité extérieure malgré tout supposée. Il y a sujet dans les deux cas, et dans l'un et l'autre il concourt dans l'œuvre à ce que fait celle-ci par elle-même. Il est indifférent que les sujets précèdent ou ne fassent que suivre l'acte de peindre: malgré tout, l'esprit les projette toujours pour une part dans une certaine extériorité. De toute façon, celle-ci est la condition de l'art puisqu'en art il est indispensable que quelque chose soit sublimé.

3
La femme dite

Quand je me mettais à écrire à votre sujet, ce n'était pas toujours dans le but de vous envoyer une lettre, mais parfois pour vous faire apparaître en dehors de vous-même, comme dans une seconde présence que vous pourriez avoir. Je la recherchais pour moi, bien entendu. Votre absence, que j'essayais ainsi de tromper, me fournissait alors l'occasion de faire autre chose que de seulement combler un vide. Au premier degré, certes, je suscitais une imagination si actuelle que dans une certaine mesure elle équivalait à une réalité, tenait lieu de celle-ci et donc vous rapprochait de moi. Mais, au second, ma méditation de vous devenait assez différente de cette rêverie, par l'intervention des mots écrits, qui introduisent une originalité nouvelle du sujet, qu'ils seraient cependant censé décrire tel qu'il est déjà, sans plus. Or, non seulement ils ne parviennent jamais à l'exactitude à cet égard mais ils aboutissent inévitablement à un imprévu qui est une création. L'écriture se trouve à ce propos dans la même impasse que le dessin et elle la surmonte par un égal exploit, qu'elle non plus ne peut pas ne pas accomplir. Le texte qui finalement sortait de moi passait à travers les mots, par eux le long d'une ligne de sensibilité inconnue dans la perception directe que je pouvais avoir de vous.

Vous deveniez ce que les mots disaient de vous différemment. Le texte vibrait d'une vie qui était bien la vôtre
mais qui aussi ne l'était pas; qui pouvait être la mienne
pour une part, sait-on, et à laquelle s'ajoutaient des images
convoquées par les mots à une rencontre des multiples
bonheurs de dire ce qui est par ce qui n'est pas. Par
exemple, quand je décrivais vos cheveux très libres, très
frais, ou que je disais de votre maquillage, discret, soigné,
mat, qu'il achevait de fiancer les nuances, voisines, de
vos cheveux et de votre teint, je n'apportais rien de plus
à votre radiance, que je n'exagérais pas. Cependant, ce
n'était plus entièrement la même. Elle était devenue distincte par l'éclat différent des images, forcément autres
car forcément elles-mêmes. Quand j'écrivais que quelque
chose de votre être oublié affleurait ou que j'avais entrevu
en vous une femme imprévue, et que vous-même auriez
à retrouver ce que vous aviez oublié d'elle ou peut-être
n'aviez jamais su, je faisais irruption par des mots, je
forçais votre réalité intérieure, dès lors devenue différente
de votre personnalité telle que vous l'aviez toujours conçue.
Cette image que je lui ajoutais constituait bizarrement
un programme, peut-être non réalisable, mais peut-être
au contraire inconsciemment attendu, et libérateur. Par
modestie, par crainte, vous aviez toujours mis devant
vous un personnage un peu moins assuré que vous n'auriez
été autrement et j'écrivais que vous étiez empêchée par
votre moi moins véritable et par votre personnage inconsciemment fictif mais dominant. Je démontais ainsi
par des mots certaines apparences dont tout le monde
croyait (à commencer par vous-même) qu'elles constituaient non pas le personnage que votre timidité entretenait
mais votre personne. Un jour, j'ai écrit un bout de roman
en vous prenant pour modèle, et de la sorte j'ai pu mettre
sur votre réalité objective de multiples inventions probablement plus vraies que nature. Sous ces figures, c'est
toujours vous qu'il y avait, éclairée par des feux. De ce

traitement allégorique, vous ressortiez comme victorieuse. Mais ce qu'il y avait surtout de plus, ce n'était pas uniquement, sur votre compte, plus de vérité grâce à l'art; vous deveniez plus profondément confirmée dans l'être que vous ne l'auriez jamais rêvé. Ce qu'il y avait en plus, par suite de cette expérience en direction de l'arbitraire créateur, c'était le résidu, littéraire, dont je dirai ceci: fixe et ferme par le soutien du fond des choses (ce qui est l'effet spécifique de l'art), il vous manifestait désormais dans un ordre accompli. Si je vous faisais parler, dans ce récit, ou si c'est moi qui vous parlais, ces paroles pouvaient être répétées indéfiniment, chaque fois comme si elles n'avaient jamais été dites auparavant ou plutôt comme si elles *étaient*. Comme si elles demeuraient. Comme si elles étaient dites de façon continue, ainsi qu'on dure. Ces discours mis en situation littéraire restaient. Incarnée dans des mots qui vous instituaient davantage dans l'être, vous preniez là une vie recommencée dans un autre règne moins douteux que celui de nos existences. Je vous considérais dorénavant non plus seulement d'une manière directe mais sous d'autres espèces, par exemple sous celle d'un mot surgi littérairement dans un détour de phrase, à la faveur d'un éclair soudain du sens. Ou bien encore sous l'espèce d'une phrase, voire d'une page complète, qui dessinaient de vous une composition que la nature est toujours impuissante à réussir, car, bien que pleine de profusion, elle ne s'écarte jamais d'elle-même et dès lors elle ne révèle rien. Elle est comme la lune, on la voit toujours de face. Vous deveniez pour moi intensément ce que j'écrivais et sans doute étiez-vous en réalité tout cela par mille possibles invisibles. Nous ne parvenons réellement à être qu'une partie réduite de ce que nous sommes. Je vous aimais par telle phrase que j'écrivais de vous. Telle métaphore était vous-même ployée et déployée. Je devinais qu'il y avait en vous quelqu'un de plus fort et de moins protégé qu'il ne semblait, je croyais le savoir mieux que vous, qui demeuriez trompée par votre demi-retrait. Pour désigner votre personnage inconsciemment joué, je parlais de votre double fragile, et ces mots, venant à l'existence, devenaient à leur tour un double littéraire de vous-même. Par ces deux mots, j'exprimais une des nuances de mon sentiment, je signifiais par eux que je vous avais trouvée et que j'aimais en vous deux choses : d'abord l'être que vous étiez vraiment sans trop le savoir, et ensuite, paradoxalement, l'autre personnage, qui, malgré vos dispositions si véridiques, vous cachait un peu. Mais cette expression était de celles, en nombre indéfini, qui elles-mêmes, directement, par leur substance verbale et «littéraire», reçoivent, sans intermédiaire, peuvent seules recevoir, une note sigulière de l'émotion ou de l'amour. Vous étiez «double fragile» tout simplement parce que je l'avais écrit. La rencontre de ces deux vocables n'avait jamais été réalisée antérieurement. Ils formaient maintenant pour moi l'un de vos nombreux multiples. Je les affectionnais à cause de vous, sans doute, mais à cause d'eux tout aussi bien, qui présentaient chacun une matière nouvelle à mon sentiment avide d'objets inattendus. Ils m'appartenaient et n'auraient pu être employés par nul autre exactement dans le même sens, car ce qu'ils signifiaient dépendait nécessairement d'une relation particulière entre deux personnes déterminées et de ma propre connaissance de vous qui ne pouvait qu'être unique. Quand je pensais double fragile, le sens que prenait cette expression dans mon esprit était nécessairement relié à autant d'aspects particuliers et personnels qu'elle pouvait évoquer de ma part à votre propos, tous concrets. Il est évident que n'importe quel mot vous évoquant avait le don d'amener entre nous une nouvelle réalité. Par conséquent, sitôt né, il se révélait irremplaçable. Aucune image n'est inutile. Comme un élément conducteur, un mot attire sur lui intelligence et affectivité et il conduit l'une et l'autre jusque dans le cœur de l'autre être pour y faire éclater des sens dérobés jusque-là à la conscience. Je vous aimais dans les figures inédites que je créais à votre sujet, et par elles.

La littérature, même éphémère, n'est pas vaine, vu le substrat qu'elle interroge malgré elle. Je crois de plus en plus que l'art accomplit sa fonction par la loi qui le régit et non pas nécessairement par l'excellence. Les mots sont susceptibles d'éterniser. Employés littérairement, il n'est pas de leur nature de retomber. Ils prennent avec eux tout ce qu'on leur fait désigner et il est constant qu'ils ne cèdent pas. Vous acquériez donc cette sûreté d'être, aussi, par eux. Je pouvais écrire de petites choses, de grandes: c'était assez indifférent de ce point de vue. Si je disais par exemple que de vous évoquer par écrit me mettait, par la sensibilité du cœur, en contact véritable avec une ombre, vous passiez par ces mots cœur, ombre et contact, et ma sensibilité allait aisément vous trouver dans ce nouvel état que vous aviez. On ne va pas alors aimer entièrement de la même façon qu'auparavant. Ma phrase avait refait autrement nos deux êtres, qui ne s'en rejoignaient pas moins, au contraire. Ayant donc écrit cette douzaine de mots, il appert que, les jours suivants, sans vous voir, je me sentais réellement lové avec vous dans cette image, dans ce curieux état, qui avait l'avantage d'être dit dans une condition foncière de perpétuité, comme toujours en art. Les mots ayant résumé ce fait nouveau ne pouvaient être dissociés ni dissous sans que l'image elle-même ne tombe dans le néant, y emportant avec elle la forme amoureuse qu'ils disaient, elle et point une autre. Cette image verbale n'était ni précise ni finie mais, comme un vers en poésie, elle s'avérait non modifiable. Quand j'écrivais quelque chose à votre propos, soit mon journal, soit un récit, pendant quelques heures ou quelques jours vous deveniez pour moi trois ou quatre phrases avec leur sens, — présente éminemment par elles. Alors je vous disais comme un poème, parfois comme un seul vers. Je n'avais pour cela qu'à répéter des suites de vocables fixés dans un dire. Vous connaissiez un surcroît d'existence dans ces paroles irremplaçables. Elles n'avaient pas besoin d'être nombreuses; un petit nombre était même plus expressif. Il leur fallait seulement ne pas disparaître aussitôt; elles devaient persister dans ma mémoire, devenir de plein droit (et non par simple entremise) ma mémoire sensible de vous. Je pouvais vous toucher sous ces espèces. Il était facile de les conserver, car il est évident que je les aimais et en conséquence elles duraient.

Qu'écrivais-je encore? Que vous étiez à la fois fine et solide, à cause de la souplesse de la taille et d'une belle architecture romane de l'ensemble du corps. Ceci vous faisait être plus absolument que vous n'étiez d'évidence. À l'égal d'une phrase ou d'un dessin, la métaphore est comme si l'on disait la perfection qui est dans une chose. Ce n'est pas la chose elle-même et ce n'est pas non plus sa définition; c'est, dans cette chose, un point d'achèvement jusque-là obnubilé. L'architecture romane d'un corps n'existe pas. Mais la beauté est si insaisissable qu'elle ne peut être exprimée que par quelque chose qui rigoureusement n'a pas d'existence. Depuis ce jour, ce mot de «romane» déclare pour moi, de votre personne, une harmonie que rien d'autre ne peut exprimer identiquement. Il possède dans mon esprit une existence aussi objective et aussi distincte qu'un tableau. Cette «architecture romane» est placée dans un cadre, à demeure. L'expression ne regagne plus le dictionnaire pour aller s'y fondre à nouveau dans sa neutralité d'origine. Elle est devenue mon bien propre, individualisé sans retour.

Je ne faisais pas de littérature, pourtant, par ces jeux avec les mots; au premier degré, comme dans ma correspondance, je vivais, je vous le répète. L'existence seconde que je suis en train de vous décrire était aussi et par excellence une existence première. Elle se déroulait même dans l'antériorité par rapport à ce qu'on serait

convenu d'appeler premier degré. Plus proche de moi
encore. Mais je ne veux pas tenter d'aller voir jusque-là,
car il me semble que je pourrais m'y perdre dans l'abstraction, alors qu'il s'agit pour moi ici d'une expérience
à portée de la main et familière du reste à tout le monde.
On ne cesse en effet d'inventer des doubles du réel, infidèles,
inexacts, pour montrer par mille erreurs ce qu'autrement
l'on ne verrait jamais de vrai en lui. Seul un langage
métaphorique est possible, à cet égard. Non seulement
les circonlocutions suggestives sont-elles extrêmement
communes mais nous n'avons pas le choix: il est impossible
de s'exprimer autrement. Les lignes droites de Mondrian
sont-elles des droites? Oui, mais il fait d'un carré, d'un
rectangle, le support d'un équilibre où pèsent des poids
instables, considérables et délicats. Tout ce que nous
disons dit autre chose, et ce que nous peignons de même.
On pense que l'amour va vers la personne aimée, mais
aussi, en outre, il s'en éloigne *parfaitement*. De fait, il rencontre sur son passage la perfection, ce qui est inouï.
Celle-ci ne saurait être un attribut de celle-là ni sa réalité.
Représentez-vous donc l'amour sous la forme graphique
que voici: un mouvement lancé aussi dans une direction
indépendante de celle qui conduirait à l'objet aimé lui-
même, et ce mouvement, qui va vers la perfection, est
déterminé néanmoins avec force et précision par la personne dont il s'agit. Indubitablement, quelqu'un qui aime
une autre personne marche vers la perfection. *La marche
à l'amour*, comme dit Miron. Il ne dit pas la marche à
l'amante... Alors je suppose qu'il se passe quelque chose
de spécial quand il s'agit d'amour et que ce quelque chose
dépasse tout le monde, les intéressés les premiers.

Pour exprimer la perfection d'un être, donc, on use
de métaphores. L'essence ravissante que la métaphore
permet de toucher comme un bien délicieux est située en
réalité plus loin que l'amante, qui la représente plutôt

qu'elle ne la contient. Le rôle de la métaphore ne consiste-
t-il pas à projeter dans cet ailleurs déterminé et lointain
la perfection que l'on poursuit? L'image ne désigne aucun
lieu matériellement accessible et paraît propre à indiquer
un bien qui existe peut-être, qui n'existe peut-être pas,
mais qui, tout compte fait, ne gît pas tout entier précisément
là où l'œil physique croit l'apercevoir et en est tout ébloui...

Je vous appelais ma prisonnière libre puisque vous
n'étiez retenue que par ma pensée et dans ma pensée. Je
n'avais qu'à me mettre un instant à penser à vous et
aussitôt vous étiez prise. Mais prisonnière, et libre (trop
libre, ne pouvais-je m'empêcher de me dire!), vous l'étiez
davantage du fait de ces deux mots surgis. Ils vous constituaient telle, en quelque manière, parce qu'ils fondaient,
par une expression nouvelle, une réalité qui ne l'était pas
moins. Tout ce qui dit des rapports les crée. Les événements
fictifs dont je vous parle avaient pour moi une importance
réelle. Vous reveniez pour être aimée, à chaque fois que
mon esprit le décidait. Vous existiez alors en moi plus
que dans la vie que vous meniez. Dans mon univers, vous
n'étiez que radieuse et significative. Vous y viviez seulement
selon le cœur, tout attentive aux aléas ne concernant que
celui-ci. Mais moi j'y vivais aussi, d'une manière que je
qualifierais de diamétrale par rapport au plan ordinaire
de l'existence. Ce n'était pas là moins vivre, je vous l'assure.
Et même philosophant plus ou moins, comme cela m'arrive,
j'avais décidé de me garder le plus possible dans la véritable
existence, dont ces songes faisaient partie au premier
chef. Cette résolution, vous n'en comprendrez pas vraiment
le sens si vous ne tenez pas compte, pour vous l'expliquer,
d'un long besoin auquel cependant les gens donnent la
plupart du temps une solution précipitée. Ils plongent
alors inconsidérément dans la matière de toutes choses,
à l'américaine, ou à la façon mise à la mode et dans les
mœurs par la contre-culture. Je savais d'avance que je

me garderais dans plus de vie pensée et le danger d'inconscience n'existait guère pour moi. «Vie pensée» ne
voulait pas dire activité intellectuelle. Je parle d'existence,
mais vécue par le dedans. Mon parti pris d'être présent
à l'existence acquit tout son sens quand je connus davantage que je vivrais de la manière concrète mais intérieure que je décris dans ces pages. Mon sens du réel
augmenta dans le temps même où ma vie semblait dériver
vers un plus grand retrait. Mon aventure «rêvée», qui
incluait toute espèce de choses, art, amour, royaume verbal
(et peut-être un désir du divin pour moi peu accessible),
se passait déjà non point dans des cogitations sans consistance mais dans un champ d'expérience. Ce mot dit tout.
J'ai dû décider que plus le temps avancerait, plus je me
confirmerais dans un mode de présence qui en un sens
serait indirect mais le serait d'une telle façon que, en
réalité, j'aurais prise à cause de lui sur une plus profonde
raison des choses, et directement sur elle. Mais pour cela
il faut sans cesse passer par des médiations. Si j'étais
romancier, mes récits scelleraient mes amours et je n'écri-
rais qu'à cette fin. Pour moi, en tout cas, les romans que
je ferais n'auraient de justification que d'amener jusqu'à
un point de certitude la vérité d'être, autrement évasive.
J'irais loger dans la perfection d'une forme d'art mes
sentiments, indestructibles dans leur destination idéale
mais friables et précaires dans leur réalité temporelle. Ils
n'en redescendraient plus jamais. Ils y auraient probablement rejoint leur improbable but, dans une zone interdite à tout regard. Je sentirais qu'ils l'auraient fait, je
le sentirais par moi-même, non extérieurement à moi,
mais au contraire par mon propre sens de la durée de
l'être, qui répondrait de l'authenticité de cette réussite.

4
L'empreinte

Il y a les images, fabriquées, tels les dessins, ou surgies directement de l'esprit, comme les comparaisons poétiques, mais il y a encore autre chose : les imaginations, qui sont des images plus vives, par exemple, celles de la crainte ou bien de l'érotisme, qui troublent la clarté de l'âme. Il y a aussi le fond du sentiment, qui est souvent un besoin sans image. Ce dernier fait un autre de ces objets dont la poésie de l'amour s'enchante.

Certains jours, étant seul, je ne vous évoquais pas, à vrai dire, mais vous faisiez en moi un creux, qui devait être de vous une image négative ayant vaguement votre forme, votre nom. Ce manque, qui présentait une ombre de configuration et se signalait ainsi par une identité sur laquelle je ne me trompais pas, me remplissait positivement non seulement d'un certain mal mais aussi d'un bonheur. Je me trouvais lourd du poids de cette absence ayant malgré tout consistance et contour. Je laissais être cette chose inverse en moi. Il n'y avait alors de vous, en moi-même, que cette anti-matière ayant densité, ayant votre densité unique et particulière, qui m'attirait vers elle. Encore une fois, ce n'était pas votre image. C'était bien plus ma privation, si telle privation peut être ce qui comble et si elle peut avoir une forme...

Je passais parfois des heures à porter en moi-même le poids amoureux du regret. Je l'aimais pour lui-même, alors un peu indépendamment de vous, si j'ose dire. L'amour transporte ses biens avec soi, qui sont autant d'idoles sans être obligatoirement en effet la déesse ou le dieu mêmes. De cette manière, il se trouve à tout moment dans la situation de n'être pas seul. D'ailleurs, ce pouvoir-là se vérifie autrement, par d'autres menus pouvoirs qu'on sait, par exemple celui qu'a l'amour de s'émouvoir de simples fétiches, lettres, écriture, colifichets, photos, souvenirs épars. Qu'est-ce ainsi qu'un papier oublié, ou que votre voiture apparue dans la rue parmi d'autres? Le bien que je transportais comme je le dis, c'était plus que cela: il consistait en ma propre émotion départie de son objet et ayant gardé de celui-ci le souvenir instinctif. Cela faisait à la fois un mal et un bien. Il y a le délice du désir et le délice de l'insatisfaction. Je ne pensais pas alors avec précision à vous-même, je pensais à ce que vous laissiez en moi d'altéré. L'émotion dont je vous parle tenait votre place. Elle remplissait le creux de votre empreinte. Il n'y avait qu'elle dans cette dépression. Elle était vous mais sous une espèce entièrement autre, méconnaissable. Cela pouvait aller jusqu'à l'informe. Je ressentais de la distance, du regret, et ceci évidemment n'a aucune forme. Je savais cependant que c'était vous. Je le savais comme par révélation sans le voir, ainsi que dans l'appréhension mystique. Dans l'instant présent, ce n'est pas mon imagination qui fonctionnait mais quelque moyen de connaissance indistincte. J'avais conscience de vous primitivement. Par ma conscience de moi. Celle-ci témoignait de vous et nulle image ne le faisait en son lieu. Un déficit, une difficulté d'être. Une influence exercée sur mes états d'âme. À cela se devinait votre action à distance. Se sentir seul. L'ennui. Le poids absent de votre être, éprouvé ainsi comme lourd. Une certaine dévastation, pourtant passagère. Rien que de tels effets, rien d'une telle cause. Malgré tout, être certain que c'est vous qui êtes en cause et éprouver mon mal comme si c'était votre bienfait. L'amour gît pour beaucoup dans ce bonheur.

Le sentiment difficile de l'absence est savant par lui-même. Aucune rêverie n'est nécessaire pour assurer mieux que lui un contact avec sa cause qui est l'autre. Au contraire, quand l'attrait pour une femme atteint à ce degré d'intériorité qui fait que le besoin que l'on a d'elle s'exprime non seulement par un langage inarticulable mais peut le faire aussi par des états dont la cause ne se montre pas nécessairement par un visage ou par un corps qui apparaîtraient au même moment dans l'imagination, c'est que cet attrait est descendu au fond de soi. On peut alors se sentir affecté par une absence avant même de s'aviser que la cause de l'émotion ainsi éprouvée est cette absence. Les amants disent qu'ils n'ont pas besoin de se parler et il me semble que c'est en vertu de la même loi: ils communiquent sans arrêt non seulement par ce qu'ils sont l'un pour l'autre mais par ce que chacun de son côté est en lui-même, est lui-même dans un rapport avec l'autre. En ce cas, j'étais avec vous simplement par l'existence de mon propre sentiment, lequel d'ailleurs pouvait aller jusqu'à prendre l'allure d'une émotion dont je ne savais pas, à prime abord, qu'elle découlait de cet amour: une sensation d'oppression, par exemple, imputable en principe à n'importe quoi, mais dont je voyais ensuite que vous en étiez l'origine soit par votre éloignement, soit par la difficulté que vous m'opposiez de vous voir. Chacun jouit non pas seulement de l'autre, mais parfois de son propre sentiment pour l'autre. Mais alors l'existence de cet état d'âme est lui-même une cause, et une cause assez puissante pour permettre d'illustrer de feux brillants, dans la littérature, ce qu'on appellera l'amour et qui au reste en est véritablement un.

C'est par convention qu'on se représente toujours les amants comme dans un médaillon, réunis donc, ou reliés par une sorte de téléphone grâce auquel il y aurait entre eux communication constante, si bien que le plaisir qu'ils ressentent serait exclusivement celui qu'ils se donneraient l'un à l'autre. C'est une idée simpliste, une image d'Épinal, et l'amour a bien plus de procédés secrets qu'on ne le croit. Par exemple, en amour, un mal engendre simultanément une sensation de bien, et l'inverse est quelquefois vrai. Le mal qu'un des amants fait à l'autre peut être ressenti à la fois douloureusement et délicieusement, car l'amour, qui est délectation, triomphe à sa manière de la déréliction. Mais il y a plus. La somme et la variété des faits qui, dans l'amour, se produisent d'une manière autonome dans chacun des amants séparément sont étonnantes. «Je ne suis plus le même», déclare l'amant. L'amour a mis en lui un désordre, un ordre, et il en est tout changé. La révolution qui s'est emparée de lui, quoique venue d'ailleurs comme d'un autre pays, c'est en lui qu'elle se fait et elle dérange en lui toutes sortes de choses qui lui sont personnelles. L'amoureux reste dans une certaine mesure quelqu'un d'isolé, sur qui, pour une part, l'amour produit des effets purement internes. En ce sens-là, dans une personne donnée, il équivaut à un système quelque peu indépendant. C'est pourquoi, à une époque où l'on n'est peut-être pas encore épris suffisamment, on peut fort bien vivre en soi-même dans un bonheur capable de durer en dépit des événements réels, comme si dans une certaine mesure tout pouvait se passer dans le champ clos d'une personnalité préalablement enrichie par l'autre. Aimer se confond alors avec exister et présente un peu les mêmes caractères d'autarcie. Si j'y avais pensé, j'aurais peut-être été surpris de la part de souveraineté d'un sentiment subsistant comme par soi; mais je ne songeais pas à cela, non plus qu'au fait que j'étais moi-même, en ce temps-là, le royaume de mon propre amour.

Toutefois, il y a une autre vérité. Pour revenir à mon exemple, qui me faisait dire qu'à l'occasion je me sentais lourd à cause de vous d'une émotion par ailleurs relativement indépendante et que, curieusement, je me concentrais comme à part sur mon état lui-même, voici une perception différente à ce sujet. Le sentiment de creux dont je parlais, l'informe réalité du sentiment qui au-dedans de moi me faisait à la fois du bien et du mal sans pour autant dessiner votre figure ni évoquer nettement votre présence, qu'est-ce que c'était? Pourquoi ce sentiment et cette confuse réalité agissaient-ils en moi? C'est qu'ils vous reflétaient essentiellement, non visuellement mais selon une faculté non comprise dans les cinq sens classiques, qui est en somme un des moyens du savoir de l'être, dont je vous parlais aussi. Je le dirai autrement. Mon impression de manque, dont je ne pouvais nier l'évidence et que pour ainsi dire je caressais, me permettait de vous connaître au plus profond mais indirectement. Elle jouait un rôle tout à fait semblable à celui d'un poème ou d'un dessin, soit le rôle d'indispensable intermédiaire pour que se manifeste l'indicible d'un être dont on n'apercevrait sans cela que l'apparence moins rare.

Ma privation vous faisait revêtir tout le prestige de l'essentiel. Comme vous étiez importante, puisque quelque chose de ressenti comme essentiel me faisait défaut! Mais je ne regardais pas en ce moment du côté de la cause. Cependant, si alors je tournais ma pensée vers elle, c'est avec évidence que vous paraissiez à mes yeux responsable de mon besoin insatisfait. Cette tension qu'il y avait en moi était dirigée seulement vers vous. Elle était amère, elle était bonne. C'était un sentiment majeur. Il prenait toute la place. Il constituait un extraordinaire commentaire à votre sujet. Que ne disait-il pas de vous puisqu'il ré-pondait à votre absence avec la même ampleur que s'il se fût agi de l'absence de tout? Je considérais cette force contrainte en moi. Elle mesurait votre pouvoir. Qu'est-ce que le miracle de l'amour? C'est probablement qu'il est seul à prendre la mesure d'un être et à tout dire de lui dans une seule intuition. Il ne réserve rien, il ne peut rien réserver. Que dit-il à quelqu'un? Il dit à cette personne qu'elle est digne de tout et que c'est là sa véritable mesure, dont il est seul à pouvoir témoigner puisque dans la direction vers laquelle il regarde il n'y a pas de limites et qu'il n'est pas apte à en concevoir. Enfin vous existiez, ce qui s'appelle exister! Vous étiez pour moi égale en existence à ce que je ressentais. À cet instant, ce n'était pas manifestement amour ou bien tendresse, mais regret pénible ou regret délicieux. Étant absente, vous ne pouviez ni réduire ni augmenter ce regret, lequel par conséquent m'était plus sûr et plus constant. Il jouait en moi le rôle que vous auriez joué, mais il le faisait d'une manière plus unie, mon rêve étant soutenu, étant égal, puisqu'il était inchangeable, relevant lui-même d'une condition qui dans ces jours resterait stable, car elle ne serait pas soumise à des aléas. Vous aviez en moi substance d'absente et mon amour avait substance de pure mélancolie. Je vous embrassais sous cette forme de sentiment mien. Vous voyez à quel point vous m'étiez intérieure. Même l'oubli de vos traits ne faisait pas en moi un autre oubli qui aurait tout aboli. Il faut croire que vous y aviez demeure.

Vous m'étiez si intimement incorporée que vous affectiez en moi d'autres existences et formes que les seules vôtres, comme par métamorphose. Ce que j'appelais mes états d'âme, que je ressentais parfois physiquement comme ayant un volume dans ma poitrine, c'était alors vous-même ayant cette forme étrangère en moi. Vous étiez devenue mon émotion même, celle-ci pourtant toujours tenue par moi pour ma propre matière mais dont j'avais plaisir comme de vous, ou comme si cette émotion eût été vous matériellement. Cette matière spirituelle et sensible dans ma poitrine physique, c'était vraiment votre personne changée en *cela* (que je ne puis désigner d'un autre mot). Il y avait les deux, ensemble, simultanément: mon être en cet état, plus gonflé d'âme, c'était bien lui, mais c'était le vôtre aussi, selon qu'il m'arrivait alors de saisir intuitivement l'addition de votre être faisant cette déformation du mien. Mais cet ensemble ambigu de mon être et du vôtre constituait une entité à part, si j'y pense bien. Ce n'était plus moi, ni vous, dans nos altérités bien définies, séparés par des distances, chacun à sa place, dans son rôle, chacun ayant respectivement sa forme visible, différent, individualisé distinctement. Quelque chose d'autre s'était constitué, que j'abritais et dans lequel j'avais part. Il est certain qu'il y avait là de l'inconnu nouveau, dont la présence était indéniable puisqu'elle prenait tant de place et avec une telle autorité! Mais ce mélange de nous deux dans ma propre substance était indéfinissable. Il fournissait l'illusion dont sans doute l'amour se nourrit partiellement. Mais était-ce de l'illusion, cette masse d'être inattendue qu'il y avait là? Car enfin ce qui ne serait là qu'une illusion changeait tout en moi... Ce rien présentait une consistance surprenante. En outre, je n'avais plus moralement le même poids. Mon humeur était transformée. Mes pensées antérieures avaient cédé le pas à d'autres. Même mon style avait subi une mutation. Auparavant je pensais et j'écrivais comme on pense. Je méditais. Tout à coup, c'est d'un rapport direct avec vous qu'il s'est agi, même dans l'ennui sans contour que je décris. Je ne désirais plus que ce contact. C'était très différent. Je le cherchais par besoin, par le plus court. Et j'étais pris aussi d'une rage de dessiner, parce que cet art visait tout de suite un but tangible. Ainsi du style, vers vous: il voulait être contact, comme il voulait également l'être avec toute chose. Ce n'était plus de l'écriture, c'était de l'acte. Le tremblement même. L'anxiété. La hâte. L'absurdité. La tristesse. Une réalité avait pris place en moi, ajoutée, imprévue. Cet amalgame semblait être le produit en moi de notre réunion. Je vous ai un temps aimée sous les espèces de ce bonheur.

D'autres fois, mon sentiment se trahissait seulement
par une sérénité étendue et si paisible que j'en ressentais
de la gratitude, une gratitude qui s'adressait également,
je crois bien, à l'existence même de l'amour. Je suppose
que c'était aussi la diriger vers les dieux, mais ceci n'est
guère qu'une phrase. J'avais conscience que vous étiez à
l'origine de ce qui me faisait ainsi rêver non par l'imagination mais par le sentiment. Ma joie tranquille, accordée
sans problème au quotidien, semblait ne rien devoir aux
circonstances dans lesquelles je vivais, sauf à vous mais
de manière mystérieuse. Elle était première et source elle-
même. Je me demandais ce que c'était que ce calme. Un
effet? Ou bien la chose même? L'amour n'est-il qu'une
pensée qui est une grâce? Consiste-t-il substantiellement
en sa manifestation, celle-là notamment? Je ne répondais
pas à ces questions, dont je n'avais aucun besoin. Ou
plutôt chacune d'elles comportait, allant de soi, une réponse
affirmative et inutile à formuler. Oui ce calme était un
effet. Oui il était aussi la chose même. Oui l'amour n'est
qu'une pensée qui est une grâce. Oui il consiste substantiellement en sa manifestation, celle-là notamment.
Car, dans le monde moral, la vérité m'a bien l'air d'être
profuse, distribuée avec abondance, comme le soleil sur
la nature, de sorte que le oui devient une clef universelle
et que le doute n'est plus d'aucun usage. Dans l'univers
moral où je vivais ainsi, il me semble en effet qu'il y avait
très peu de négations. Je détestais les négations comme
privatives. Elles réduisent l'être, tandis que le fait d'être
tourné vers la gloire qui elle-même est partout, attitude
caractéristique de l'amour, multiplie l'être ou plutôt augmente indéfiniment ce que nous en percevons. On ne se
trompe pas quand on aime, lors même que l'on se trompe
prétendument sur l'objet de cet amour. À la place d'un
défaut, on voit une qualité parce qu'elle y est aussi. L'amour
n'est pas un simple œil mais un œil voyant. Il n'a aucun

rapport avec le regard critique. Il est tout entier ouvert,
jamais fermé.

5

La possession tierce

La pensée qu'on entretient d'un être par l'effet d'un amour est elle aussi une effigie. Celle-ci met entre le réel et nous une réalité troisième, plus intérieure. Elle représente avec un surcroît de vérité cet être. Elle n'est pas sans analogie avec un dessin, dont je disais à peu près les mêmes choses.

L'exemple du tableau ou du dessin était facile, car leur support matériel possède une évidence visuelle. On se rend compte de l'objectivité inerte et tierce d'une telle surface, et à la fois de son animation pour ainsi dire anormale... Cette surface physique présente avec la netteté de la chose réellement vue ce plan lui-même, indifférent, et tout aussi manifestement les sentiments dont il est chargé pour toujours. En lui, ceux-ci n'hésitent plus en rien, entièrement sûrs maintenant par le fait de leur passage dans une sphère étrangère.

Je transportais en moi de ces images persistantes, non pas des tableaux cette fois mais des évocations personnelles, ce que je possédais de plus précieux. Images mentales, qui m'habitaient plus que des images. Elles étaient votre substitut le plus dense.

Que fait l'amour? Il ne s'attarde pas seulement à la personne elle-même, qui varie, paraît, disparaît, se fait

opaque ou plus ou moins fuyante. L'amour est aussi en
rapport avec la pensée qu'il entretient d'elle, concentré
peut-être imaginaire mais plus probablement authentique
et profond de l'être ainsi révélé par une figure qui serait
encore elle. Cette image qui est beaucoup plus qu'une
image et presque la personne elle-même réincarnée autrement dans une autre personne, c'est en partie avec
cela que l'amour se trouve dans un rapport constant,
passionné, lyrique. L'amour se passe pour l'essentiel à
l'intérieur d'un cœur et il y agit directement sur la vision
qui s'y trouve et qui, par moments, tient lieu plus parfaitement de la personne extérieurement désirée. C'est là
que le roman se déroule, dans l'être qui le vit et non pas
seulement dans le domaine qu'on dit réel et qui l'est peut-
être moins.

Mon rapport s'établissait ainsi avec votre image,
toujours disponible, toujours là. Je pensais à vous, c'est-
à-dire à cette partie de vous qui était en moi par dédou-
blement. Elle était toute émouvante. Elle ne dépendait
d'aucun hasard incompréhensible, d'aucune erreur de la
vie. C'était un être, ce n'était pas un profil. Elle ne pouvait
être amoindrie.

Je passais des heures à n'être qu'une présence en
cette Présence. Je laissais vivre en moi librement le bonheur
amoureux qui, semble-t-il, résultait d'une union s'accom-
plissant alors avec cela que je portais en moi. Il est difficile
de rendre explicite ce que justement l'on ne voit guère
dans le champ ordinaire de la conscience. J'étais passé
par-delà une condition trop relative. Je pensais à vous
dans un état de possession où je vous enveloppais
différemment.

Ce n'est pas de jouissance que vous me combliez
par cette union alors non réalisée physiquement; c'est
d'un bonheur qui était plutôt une joie. La joie est complète
et pour elle la distance n'est rien. Ce bonheur ne se
dépensait pas, il demeurait égal comme quelque chose

d'inépuisable. Il n'y avait pas rencontre, puis diminution
de plaisir, puis retour, puis éloignement, mais persistance
aisée de bonheur comme d'une source originelle. Tel était
le profit à me trouver de longs moments comme dans
l'existence pure. Nous mettons dans notre cœur un savoir
inspiré reproduisant de certains êtres ce qu'ils ont d'ineffable et par la suite cela nous dit indéfiniment ce que
ces êtres sont comme merveilles.

Vous vous imaginiez un peu facilement que l'amour
consistait uniquement dans des rencontres, dans des dé-
parts, dans un certain tumulte et, en somme, qu'il était
fait de péripéties dont il ne pouvait se distinguer, comme
au cinéma; disons: comme «dans la vie». Vous pensiez
qu'il se confondait avec une histoire à raconter et que,
de ce point de vue, c'était en effet un roman dans la vie.
Vous le voyiez bien incarné dans l'existence concrète,
pièce de théâtre vécue, commencement et fin, succession
d'actes. L'amour (croyiez-vous) ne pouvait s'abstraire de
ce qui arrive, au-dedans et au-dehors, tout cela ensemble,
varié, variant, traversé, extérieurement visible aussi, suite
d'événements humains brisée, continuité entretenue par
une succession de contingences et marquant des temps
d'arrêt, des points d'arrivée, soulignant des buts inscrits.
Sans doute aviez-vous raison, car c'est très largement
cela. Bien souvent les femmes possèdent cette supériorité
d'être présentes à tout ce qui est, extérieur et intérieur
tout entremêlés et réellement vécus ainsi. Mais pour ce
qui est de moi, non pas surtout parce que je suis un
homme, bien sûr, mais parce que je suis d'un tempérament
plutôt contemplatif, les choses peuvent se passer dans
une certaine mesure autrement. Je pouvais longtemps
rêver et parfois je me demandais si je ne le pourrais pas
indéfiniment. J'avais la faculté de transporter çà et là le
bonheur dont je vous parle puisqu'il était en moi, avec
votre visage, avec votre voix, un peu indépendamment
d'une existence extérieure que de toute façon, pendant

certaines périodes, je ne connaissais guère. Alors peu
d'événements nourrissaient cette vie provisoirement retirée.
Parfois de vous avoir vue pendant une heure, parfois de
vous avoir entendu dire quelques mots me prouvant que
vous n'étiez pas insensible, parfois de vous avoir désirée
soudainement. Peu de chose. Je remportais cela dans ma
retraite intérieure. Un tel bonheur était portatif, me disais-
je en riant. Je pouvais toujours l'ouvrir, le retrouver. Il
me devenait si habituel qu'il tendait à se confondre tout
simplement avec ma conscience, avec mon état ordinaire
d'éveil à mes pensées. Assez souvent cela m'occupait
autant qu'une situation qui aurait existé autrement que
par le pouvoir de rêver. Mais ce qu'on appelle ainsi un
rêve est bien davantage: ce n'est pas un rêve mais l'acte
d'un amour cloîtré. Vous le connaissez sans doute aussi,
car quel amour ignore cette intériorité solitaire où il n'est
pourtant pas seul? Dans cette condition parfois passagère,
parfois durable, le sentiment n'a pas moins de vie qu'il
n'en aurait autrement, mais il présente en plus quelque
chose d'une totalité qu'aucune imperfection ou accident
justement ne peut entamer.

La méditation d'un amour est elle-même amour.
Mais celui-ci diffère du premier comme s'il était hors du
temps, hors des lieux, préservé du changement, assuré
d'un long regard. C'est le même amour et ce n'est pas
le même. Il est allé se situer dans un ailleurs plus certain,
comme on le voit évoqué dans les sourires sculptés du
Moyen Âge. C'est un ailleurs où l'amour emprunte, lui
aussi, comme le fait un tableau, son silence et une gaieté
non éphémère. Tout peut se passer dans l'espace exigu
d'un seul cœur. En ce cas, les notions d'espace, d'éloignement, de temps, n'entrent plus très bien en ligne de
compte et elles deviennent incertaines. Ce qui est contingent
tend alors à disparaître et ce qui ne l'est pas tend à
subsister seul. Je vivais avec mon émotion qui était plus
un état qu'une simple émotion. Je me sentais seul avec

cela, et comblé ainsi. L'amour est éternel en principe et le devenait en réalité dans cette situation méditative. Je me trouvais avec lui, non pas comme avec un sentiment pour l'être ou pour un être, mais comme avec l'être lui-même, plein celui-ci d'une charge bienfaisante. Vous étiez toute mêlée à ce bienfait. Vivre heureux n'était pour moi pas autre chose. Mais naturellement ce privilège, indestructible en droit, n'avait rien de garanti dans le temps. Autrement on aurait appelé cela béatitude.

Il y a donc, c'est certain, un tiers mode d'existence. La solitude, qui m'est plutôt naturelle, m'avait amené, sinon à l'identifier et à réfléchir sur lui, du moins à en faire, sans trop m'en rendre compte et fréquemment, le mode premier de ma vie dans ce bas monde, même malgré une activité qui, en d'autres périodes, fut amplement extérieure. Mais, au fond, ce que je décris là n'est ni rare, ni, dans un même individu, un état très peu fréquent. Seulement, les choses visibles peuvent faire illusion et cacher ce qui est bien en deçà. De sorte que pour plusieurs la vie s'écoule sans qu'ils aient seulement cherché à s'arrêter à ce qu'ils sentent. Cette distraction perpétuelle, en fin de compte, fait qu'ils n'aiment guère.

6

Ni présente, ni absente

Un temps, la correspondance a joué un rôle étonnant entre nous. Elle résout comme par miracle l'apparente contradiction entre distance et proximité. Elle n'abolit pas la première, qui reste réelle, et ne réalise pas la seconde, mais elle introduit une spatialité tierce, qui est en effet autre chose, qu'on ne trouve pas dans la nature. Quand je vous écrivais, vous n'en deveniez pas présente, vous ne restiez pas absente, mais l'un et l'autre de ces états bien objectifs le cédaient à une troisième situation, qu'un esprit trop positif ne parviendrait même pas à concevoir et qui serait méprisée par ceux dont l'expérience se borne à ce que paraît définir la première version des choses. Dans cet espace à part, dans ce lieu apparu, vous n'étiez pas moins véritable que dans votre présence effective. Moins absente, peut-être, parfois, à certains égards, que dans cette présence. Il y a une force incroyable dans les apparitions. Tout ce qui dans la vie dite réelle ne semble pas assez subtil ni assez conductible retrouve ces qualités dans une autre vie qui n'est pas seulement et banalement rêvée mais qui s'accomplit dans la nouvelle objectivité dont j'essaie de vous donner l'idée. Mais vous la connaissez sans doute par votre expérience, sans peut-être jamais vous en être avisée. Ces propriétés, peu faites pour notre monde à l'état brut, se libèrent dans l'univers substitué dont je vous parle et même elles y passent au premier plan.

Je rêvais beaucoup alors, mais d'un rêve autre que celui où l'on se berce des images de l'objet de ses désirs sans plus. Il ne s'agissait de rien de romantique. Dans ce rêve n'entrait aucune évocation d'un réel hors d'atteinte. La classique rêverie de l'adolescence, bien sûr ce n'était plus la mienne. Je suis un être actif. Je ne rêvasse pas, je contemple, je saisis. Aussi bien, ce que j'amenais sous l'empire du rêve que je vous dis, ce n'était pas des figures regrettées, caressées par la tristesse, vagues, soustraites à l'actualité. C'était vous-même, au contraire, dans cette correspondance. Celle-ci défend efficacement contre l'ir-réalité et elle suspend le hasard qui est dans les choses, l'éloignement par exemple. Vous aviez dans mes lettres une vie sans défaillance et aussi pleine qu'il se peut, malgré l'absence. L'absence ne comptait plus. Vous jouissiez ici d'une autre vie, mieux garantie que la première, exactement comme ce qui est passé dans le cercle de l'art.

Il faut que vous entendiez bien ceci: qu'il est un tiers état dans l'être, où s'anéantit la distinction de la possession et de la non-possession et où cette opposition ne veut plus rien dire. Cet état troisième est spécial. La vie y est tout à fait libre. Présence et absence ici ne s'opposent plus le moindrement.

L'art reflète ce qui n'appartient aucunement à l'ordre de la mort. Une lettre accomplissait le même prodige. En petit, sans doute, mais le même. Je vous écrivais donc et ce n'était pas seulement pour des raisons ordinaires. Vous étiez loin; je ne demandais pas premièrement que vous veniez. Qu'est-ce que la possession au prix de la contemplation? À la faveur d'un certain type d'attention envers un être, que permet l'art aussi bien que l'évocation écrite, il se passe quelque chose qui fait qu'il y a bonheur, quelles que soient les circonstances extérieures, lesquelles n'ont plus qu'une importance relative.

Il faut cerner un peu plus cette vérité, car elle est précieuse. On peut, à l'aide de deux ou trois conventions qui font comme une recette philosophale, créer ici-bas les conditions voulues pour transcender la vie ordinaire en la manière que je dis. Une feuille de papier est l'une des choses sur lesquelles peut s'exercer l'art d'amener visiblement à portée l'ineffable de l'être et ce qui, de lui, semble doué de propriétés qu'on ne rencontre pas dans le réel de premier degré. J'ai évoqué la présence et l'absence qui, grâce au traitement épistolaire et donc à un certain usage de cette feuille de papier, cessent d'être antinomiques. Sur cette surface privilégiée peuvent alors se poser des signes qui ne renvoient nullement mon attention au fait que vous n'êtes pas proche de moi, ni à la possibilité que, au contraire, vous pourriez être présente physiquement et que ceci serait nécessaire à mon plaisir ou à ma joie. Il ne s'agit plus de cela mais d'un mode d'être additionnel, supérieur à la commune économie des rapports de réalité. Ce mode semble défier certaines lois qui limitent les êtres dans l'existence courante. Je vous écrivais et l'interposition de l'écriture entre nous opérait un rapprochement dont je me disais par image qu'il était absolu. Non seulement cette proximité d'un autre ordre était-elle indépendante de la distance objective ou physique et de l'impossibilité actuelle de nous rejoindre, mais elle se révélait radicalement différente de la présence matérielle. Elle n'avait pas les mêmes pouvoirs. L'une et l'autre ne se recouvraient pas. La première était d'une intériorité plus grande. Mais ce qu'il y avait de plus évident à mes yeux, c'est que, par le moyen indiqué, s'instaurait entre nos deux personnes un règne que nous n'aurions connu que fort imparfaitement sans cet artifice quelque peu surréel. Nous entrions dans une espèce d'extra-territorialité par rapport à nous-mêmes et aux contingences de toutes sortes.

De celle-ci je ne saurais trop dire combien elle est
singulière. Il suffisait, comme l'aurait pensé Cocteau, de
se mettre à jouer un certain jeu sur une surface nettement
délimitée de tout le reste et qui serait sacrée. En l'espèce,
c'était celle de mon papier à lettres, et les signes tracés
sur ce papier et chargés par moi d'exercer un culte, faisaient
apparaître de vous un rayonnement permanent n'ayant
pas tout à voir avec celui qui aurait été le vôtre si vous
aviez été présente. Pareil rectangle de papier aurait pu
d'ailleurs recevoir l'empreinte d'un autre acte d'exception,
le portrait, et l'effet avoir analogie avec celui que ma
lettre créait. Vous n'en deveniez certes pas plus présente
en chair et en os, mais ceci n'importait plus en ce moment.
Vous restiez sensiblement absente, mais cependant ce
fait n'était plus affecté du signe entièrement négatif qu'il
aurait gardé sans le secours de ma lettre. En vérité, par
ce truchement surprenant, loin de demeurer dans un état
de privation à votre égard, sur papier je tirais de notre
éloignement même un plaisir d'une rare essence. Évidemment, je m'étais introduit de cette façon dans un
univers bizarrement renversé. Le désir lui-même était
remplacé par un bonheur où justement ne se manifestait
plus le besoin caractérisant ce désir, ni d'ailleurs la satisfaction qui le suit. Le regret n'existait plus. Je ne demandais plus d'aller vers vous par le plus court chemin.
Me sentais-je arrivé dans une ultra-réalité, elle-même
sans défaillance? Par une fenêtre étroite et dérobée, avais-
je vue sur une autre existence? Dans un dessin, c'est assez
clair. Quoi qu'il en soit, il est certain que chaque lettre
nous introduisait instantanément tous deux dans une
nouvelle relation. Celle-ci n'était pas incompatible avec
celle que nous connaissions déjà, au contraire (de fait,
elle ne faisait que l'enrichir), mais, par un bouleversement
de l'ordre courant des causes et des effets, nous n'étions
plus soumis à nombre de contingences qui font le quotidien
nécessaire des rapports dans l'existence ordinaire: j'ai

mentionné les rapports présence-absence et possession-privation, dont l'opposition dans l'un et l'autre cas cessait de s'exercer, mais je pourrais parler aussi de toute une gamme d'accidents. Ceux-ci, dans la contemplation un peu hors de ce monde que provoque l'écriture, n'avaient plus lieu de se produire, refus, malentendus qui en découlent, explications devenant nécessaires, heurts, excès, regrets, paroles incomprises, enfin l'agitation d'une communication trop matérielle peut-être, sans parler évidemment de quelque chose de bien plus constant qu'on ne le croit, l'obnubilation réciproque des êtres par rien d'autre, hélas! que leur présence concrète.

Nous relevons sans le savoir d'une ontologie stable et lumineuse. Pour nous en rendre compte, il faut faire usage d'un écran, intemporel pour moitié, sur lequel peuvent apparaître des images qui ne sont pas la personne même mais presque son immatière. Il n'en résulte pas un mensonge mais un supplément de vérité sur cette personne. Ce que nous mettons d'elle en évidence comme par l'action d'un rayon baladeur, ce n'est pas une forme, morte d'avoir été tirée du modèle et séparée de lui, mais c'est au contraire quelque chose de mieux fondé que la réalité première elle-même. C'est le modèle, mais transporté hors de soi par une attention ayant pouvoir de ne garder de lui que l'inaltérable. Cet inaltérable se fixe sur la feuille, plaque aux vertus inattendues, où il est enfin possible de saisir à loisir, comme en radiographie, votre immatériel dessin, et d'en être incomparablement impressionné. C'était ma lettre et ç'aurait bien pu être votre portrait, dans lequel j'aurais pu vous aimer, mais il n'existait pas encore. Toujours cette idée de support matériel offert par un objet nullement connaturel au sujet: une feuille, de l'encre, une toile, des couleurs, un bloc de pierre, enfin une matière inerte s'interposant absurdement sur le passage du vivant et dont on serait loin de croire qu'elle puisse capter de lui quelque chose d'un secret jamais dit.

Ce n'est pas que je vous écrivais des charades, des énigmes, et encore moins des analyses qui vous auraient plus clairement révélée. Vous le savez, mes lettres sont plutôt banales et le seraient tout à fait si elles n'étaient parfois relevées d'un mot ou d'une idée explicables seulement par le coup d'aile du plaisir. Ce plaisir fait une présence sensible sur laquelle vous ne vous êtes jamais méprise, car c'était la vôtre, ou bien la mienne, l'une et l'autre enrobées dans des propos fortuits. Parfois ma lettre exprimait de la tendresse, parfois de l'humour, et donc un bonheur se traduisant aussitôt presque de soi par un bonheur d'expression, de sorte que cette tendresse, cet humour, allaient limpidement jusqu'à vous, plus véridiques encore d'être passés par des mots...

Je n'écrivais pas des choses compliquées. Le prodige inévitable avait lieu quand même. D'autant mieux, d'ailleurs. Mais où était le miroir qui faisait que je vous y voyais? Ce n'était pas un miroir, c'était un cadre magnétique dans lequel votre image transfigurée venait en surimpression surgir sans cause parmi divers objets qui s'y trouvaient, eux, pour avoir été clairement nommés par moi: le bonheur, le rire, une bouffée de jeunesse hors de saison.

Miroir, cadre magnétique, ce ne sont là que des comparaisons, bien entendu; mais ce qui n'est ni métaphore, ni imagination, je sais bien en quoi cela consiste: c'est que, au-delà de toute raison claire, une lettre sollicite avec des riens l'impérissable et elle le manifeste. C'est effectivement sous votre forme impérissable que vous vous y trouviez, à distance d'un nombre important de contingences, y compris celles qui commandent la convoitise plutôt que la contemplation. Vous y étiez hors de cause *immédiate*. Une lettre renferme des raisons éternelles en concentration plus dense que ce n'est le cas dans la vie tout objective; car c'est aussi une forme de littérature, pour personnelle et sans intentions artistiques qu'elle soit entre deux êtres croyant seulement vouloir communiquer. On ne saurait traiter littérairement un seul mot sans qu'automatiquement celui-ci, sous l'apparence de désigner comme d'habitude l'objet qu'il représente, n'en expose au contraire tout ce que ce dernier paraît ne pas être: incorruptible, transcendant le temps, demandant un culte et non la passagère consommation.

Rien à faire: un vocable, dès qu'il s'insère dans ce qui s'appelle un texte, ne vise plus dans la même réalité la même chose. C'est par paresse et manque d'examen qu'on peut s'imaginer que sa signification n'a pas changé diamétralement par suite de ce passage dans une écriture. Ce qu'il fait apparaître de l'objet, ce n'est pas un simple double intelligible, identique à celui-là comme le mot «double» le dit bien. L'écriture donne une version insolite de toute réalité dont elle s'empare. Pareil effet ne peut être attribué seulement au fait qu'un texte opère nécessairement un choix parmi les qualités d'un être qu'il décrit et se trouve donc à diriger l'attention sur tel aspect de celui-ci plutôt que sur tel autre par pur aiguillage de la désignation. Il se passe de plus ceci, qui est bien différent. C'est qu'il y a dans les mots un principe pouvant directement faire affleurer les signes d'éternité, présents dans le moindre réel mais maquillés. Dès qu'il y a art, le langage cesse à cet égard de n'être que ce qu'il était. Ce n'est pas difficile: le mot, changeant d'usage, acquiert sans effort un pouvoir qu'il n'avait pas, parce que c'est ainsi. L'ordre de l'art se distingue absolument de ce qui n'est pas de lui, dès le geste le plus élémentaire. Non seulement n'est-il pas ardu d'accéder à ce nouveau territoire, mais, bien plus, on ne saurait l'éviter sitôt qu'un mot n'est plus employé exclusivement pour une fin utilitaire. Un bout de papier, quelques phrases écrites par plaisir, et nous y sommes. Le talent ne fait que souligner davantage cette différence. Même dans le rapport réel qu'on peut avoir avec quelqu'un, le changement qui se produit dès l'intervention de l'art dans cette relation est si considérable qu'il transforme non seulement l'objet de l'affectivité en le multipliant de tous les reflets des mots ou des couleurs, mais aussi cette affectivité elle-même, qui ne s'adresse plus entièrement à la même réalité, ni de la même façon. Qu'est-ce qui se glisse donc, dans le champ de ma vision, entre vous-même et mon regard, grâce à l'insertion entre nous d'une page écrite ou d'un dessin? Un attribut qui est la perfection. Vous êtes vue à travers cette pellicule révélatrice et alors, de vous, apparaît avec évidence au premier plan le double glorieux. Ne voyez pas dans ce dernier qualificatif une flatterie, car ce dont il s'agit n'a rien à voir avec cela. Je m'efforce seulement de montrer ce qui se produit lorsqu'on quitte le monde des passions pour entrer dans un azur de désir tout à fait autre. Dans cet azur, ce n'est plus la passion qui règne mais un ordre supérieur où, dégagée d'elle, la sensibilité trouve, dans une certaine mesure, son royal accomplissement. Vous voyez comme l'affectivité ici change en effet d'emploi et de dispositions, et comme elle n'est plus tournée vers la même figure des êtres.

7

Les messages non dépliés

Depuis longtemps j'écris des lettres ni savantes, ni littéraires, mais ce sont seulement autant d'actes de vivre. Ni sentimentales, ni cérébrales; seulement sensibles et peut-être à peu de frais. Je n'y aborde guère non plus les grandes questions de l'heure, sauf à l'occasion, rarement et rapidement. Mais ces lettres ont un secret. D'ailleurs il est banal. C'est celui-ci: je vis à travers elles, par elles, au premier degré. Je n'écris pas spécialement pour raconter ce que je fais, même si ce que je vis, naturellement, entre pour une bonne part dans ma correspondance. Mon propos ne vise pas d'abord à rapporter des faits, des actions, des impressions, quoique effectivement j'y note bien des choses. Ma lettre est au premier degré action elle-même.

J'y suis heureux au premier chef. Je n'y raconte pas d'abord un autre bonheur. J'y parle, je m'émeus, là. Dans ce lieu même. Dans le cadre d'une lettre écrite et devant être lue. Si vous ne connaissiez quelquefois, si rarement pour votre part, le même plaisir, vous me jugeriez, disant que je vis là un succédané de la vraie vie. En un sens, je le reconnaîtrais, mais en un autre, pas du tout, parce qu'écrire à quelqu'un, c'est souvent vivre avec lui d'une manière plus précise, plus aiguë, à la pointe du sens qu'il y a dans les êtres et qu'on touche par les mots.

Quand l'existence de chaque jour passe par les pages d'une correspondance attentive, elle ne s'y éteint pas; elle s'y allume au contraire comme par un contact un peu plus conducteur. Les vocables écrits sont des extrémités nerveuses, très sensibles à l'énergie qu'il y a dans chaque réalité extérieure, une énergie reçue et révélée par ces neurones si curieusement bien adaptés. Ils n'ont de neutre ou de secondaire que l'apparence. Du reste, l'écriture, dans la correspondance, offre un nombre indéfini de significations. Quand je vous écrivais des lettres, chaque phrase, en plus de désigner telle chose ou d'exprimer tel rapport, était chargée de conduire la généralité des messages inexprimés venant de moi, allant vers vous, comme si elle manifestait nos présences respectives, ce qui était incomparablement plus. Et puis ces lettres offraient non seulement des représentations de nos vies mais la sensation de celles-ci, autant dire l'expérience même, par le truchement de quelque chose *qui est lui-même expérience*.

Pendant plusieurs années j'ai dispensé ainsi d'une manière directe, primesautière, sans calcul, par besoin, sans conséquence, envers nombre de personnes, les riens de mon plaisir de vivre, évoqué les menus accidents de mon sentiment d'exister. Pour nul but bien définissable en dehors du désir d'être, que chacun a. L'existence s'accroît lorsqu'on la nomme par le détail. Correspondance est de plein droit existence. Les mots sont en un sens plus neufs et secrètement plus vifs que les choses. Ils ont d'ailleurs cet avantage qu'ils sortent de soi et pénètrent avec une grande facilité et jusqu'au plus profond chez l'autre. Ils transportent tous les influx. Je leur confiais n'importe quoi: des plaisirs, parfois des idées; un véritable bric-à-brac; des souvenirs, des images, de petits récits, de la rigolade, de l'humour. Des riens. Mais tout cela était prétexte plus ou moins. Les mots, qui étaient moi, étaient eux-mêmes de la vie. Autant d'occasions pour autre chose de plus immédiatement palpable encore.

L'expression écrite, c'est presque l'âme même. Elle est plus proche de cette vibrante essence que n'importe quoi. Elle la touche au point de la faire réagir comme une chair. Quand je vous écrivais, ce que je vous disais était peut-être secondaire par rapport à ceci de bien plus certain: le présent de l'écriture, son fait actuel. De la sorte, je vous donnais du réel, non pas du discours. Une lettre renvoie à ce qu'elle raconte, mais c'est en second lieu. Indépendamment de l'objet, qui est plus loin, il y a d'abord contact. En lui-même celui-ci était à la fois acte et message. Vivre, c'était alors vous écrire. Le concret et l'indicible réunis en un tiers fait.

Je distillais ainsi de l'existence, grâce aux correspondances que j'entretenais, sur lesquelles je pouvais toujours compter pour m'amener à une mesure additionnelle d'intensité d'être. Intimité d'être serait encore mieux dire. Une seule petite mesure de plus, qui fait toute la différence. Une arête. De l'inédit d'être, par le mot. Une coupe plus fraîche. La vie crée tant de nouveauté à chaque minute. La phrase qui se forme à chaque instant est de pareille naissance. Ceci en dit long sur son origine et sur son pouvoir. De quelle source est-elle? Elle le dit presque. Elle est immatérielle et dangereuse. Pourquoi tant d'efficacité, comme la source? Par elles-mêmes, les lettres personnelles constituent un fait affectif. Ceci a peu à voir avec la valeur relative de ce qu'on écrit. C'est comme pour le dessin d'un simple crayonneur. Je le dis quelquefois: devant un dessin nous sommes passés ailleurs et c'est une question d'univers autre. Ce pas ne se fait point à moitié. Quelle que soit la faiblesse du dessin, il est d'une autre sphère de l'être. Ainsi l'écriture, peut-être surtout l'écriture intime. Du fait qu'elle est une trace d'Ailleurs, elle dit peut-être Tout. On parle de n'importe quoi mais qu'est-ce qui est en cause? Quelque chose dont il n'est pas question expressément. Telle lettre est un pont on ne sait avec quoi. Elle touche directement une certaine

évidence, mais non précisée. En un sens, il était assez
indifférent que je vous entretienne de ceci ou de cela, de
la veille ou du jour même, d'un projet, d'une personne,
de l'absence. Ma lettre, même banale, vibrait de toute
émotion parce qu'elle disait ce que vous vouliez selon le
plaisir qu'elle vous causait. Si je parle de peinture, cette
lettre est elle-même une exposition d'un autre genre, elle
aussi polyvalente comme l'œuvre d'art. Vous pouvez tout
aussi bien y comprendre mon sentiment pour vous, ou
pour la vie, ou pour l'art, ou pour le bonheur de la
journée, comme vous voulez. Il y a, dans l'écriture personnelle, non seulement ce qui est explicitement signifié,
mais aussi, avant tout d'ailleurs, le message non déplié
qui parle des raisons inconnues pourquoi l'on aime, que
le texte semble raviver. Dans une page, mettons même
sur la politique, si je m'adresse à quelqu'un en particulier,
alors cette personne peut tout entendre de cela, mais elle
entendra aussi, entre autres, ce que je pense d'elle et ce
qu'elle pense de moi ou ce que je lui inspire. Que n'écou-
tera-t-elle pas? Le plaisir de son cœur, parfois provoqué
par rien qui puisse le concerner directement. En ce cas
le texte est en rapport fortuit mais indéniable avec cette
émotion, comme si son sens véritable était d'agir sur elle.
Telle histoire que je vous racontais, je savais bien que
son sujet, enfin celui qui me hantait sans que je le dise
et même sans que je m'avise de lui, n'avait de soi rien à
voir avec mon anecdote. Ce dont il s'agissait, par les
mots que j'empruntais au sujet apparent de mon récit,
c'était tout simplement une certaine forme inexprimée
du plaisir qui nous liait. Je désirais vous écrire des lettres
pour que vous les désiriez aussi. Mon plaisir voulait ren-
contrer le vôtre et allait à sa rencontre, porté par des
sujets plus ou moins interchangeables.

8

La longue lettre
de Rousseau

Observez que l'abondance des significations impli-
cites, inaperçues du lecteur comme de l'auteur parce que
secondes et souvent à peu près indiscernables, quoique
principales, fait déjà tout Jean-Jacques Rousseau. Ce sont
ces significations-là que le lecteur reçoit et il ne s'en doute
qu'à peine bien qu'elles le captivent et le retiennent non
pas justement dans mille petits récits bien intéressants
par ailleurs mais dans un univers: un monde d'inexprimé,
une profondeur fermée à tout regard précis. Quand un
livre crée cela même dont les contours nets et le sens
défini échappent à l'œil le plus perçant et y échapperont
toujours bien qu'on puisse dessiner ce que l'on veut sur
ce fond qui jamais n'apparaîtra, alors le livre a dit ce
qu'il faut dire. L'œuvre de Rousseau contient autant et
plus qu'aucune autre un tel substrat. L'affectivité peut
cependant appréhender un peu ce que Rousseau évoque
malgré lui et l'intuition deviner là un arrière plan, qui
est bien le plus grand paysage qu'il ait jamais brossé, le
seul constant dans ses pages, un paysage occulte, qui
passe invisiblement au premier plan par une alchimie à
laquelle on peut très bien ne pas croire si l'on veut.
    Je possède une longue expérience des mots. Je vous
en ai écrit des quantités, presque toujours par besoin et

plaisir de le faire, et sous une impulsion, sur un signal, un signal que je connais bien. Celui-ci est un avertissement disant qu'un moment se présente où l'écriture sera facile et l'émotion exprimée fraîche comme une feuille. Très peu de mots et les plus naturels porteront cette émotion sans effort et d'ailleurs elle sera l'aile qui les soulève. Il ne faut pas remettre, il ne faut pas attendre. Deux ou trois courants vivants ou causes ont fait rencontre en un moment précis: votre lettre, que je venais de recevoir, mon plaisir, et ce qui précédait mon plaisir, qui était mon besoin, et je ne sais quel vol vers vous déjà parti. Alors c'en est bien assez de tout cela et d'autres choses que je ne puis même apercevoir, c'en est bien assez pour provoquer un mouvement nouveau et un nouveau message.

Jean-Jacques, par l'effet d'une grâce analogue, fait des livres dont un caractère marquant serait justement qu'ils ressemblent à des réponses toutes personnelles — et ce caractère serait plus prononcé que dans la plupart des œuvres littéraires même riches de faits de sensibilité nouveaux. Rousseau, au moment d'écrire, c'est, tout à fait comme dans une correspondance, deux ou trois causes d'émotion se rencontrant et le faisant spontanément livrer l'effet lui-même actif de cette rencontre, comme une cause de plus. Jean-Jacques est un correspondant universel. Aucun auteur n'est plus individu que lui; en ce sens, il n'est pas un auteur. Il reçoit des lettres imaginaires, qu'il ne reçoit pas, et il écrit les réponses. Nous avons seulement les réponses. Il n'a jamais reçu les messages, sauf ce que nous en connaissons bien ou croyons en connaître: par exemple les événements, les hantises et les dires dont il souffrait, et peu importe leur réalité ou leur absence de vérité objective. La chose évidente, c'est que, dans la simplicité qui est le propre de celui qui vient de recevoir une lettre, Jean-Jacques, poussé vers un interlocuteur qui n'est pas ce qui peut s'appeler le public, le public littéraire entendu, le destinataire d'une œuvre en tant qu'œuvre,

Jean-Jacques entreprend chaque jour non pas tant d'écrire que de parler. Caractéristique épistolaire. Rien n'est moins *fait* que ses *Confessions*. N'y a-t-il pas jusqu'au *Contrat social* qui ne soit une lettre, une réponse? L'œuvre de Rousseau est personnelle précisément comme l'est une lettre dans le même sens, et paraît inspirée de la même vision tout à fait singulière. De fait, nul ne fut jamais autant que Rousseau homme privé dans un rôle, des circonstances et un théâtre d'homme public. Comme auteur, voilà le secret, inconnu d'ailleurs de lui, qui nous le rend si proche. D'où sans doute aussi une partie du ridicule dont il se couvre, celui de quelqu'un d'égaré dans une situation publique, inattendue pour lui, on dirait, bien que ce ne soit pas vrai, et tel qu'un distrait surgissant par erreur sur une scène. Cet individu privé se débat contre des adversaires, imaginaires ou réels, mais publics. Il n'est jamais dans un rôle mais ne cesse d'être au contraire dans la réalité de sa propre et unique existence, même quand il spécule. Il y a constamment maldonne. Car enfin ce solitaire est un personnage. Comique Alceste comme il n'y en a pas au même degré dans la littérature. Mais pathétique, et homme privé comme on l'est dans le malheur. J'ignore si d'autres l'ont jamais eu autant que lui, mais Rousseau m'apparaît en tout cas comme quelqu'un qui a le don de rendre plus ou moins relative toute idée qu'il peut défendre, même s'il combat pour elle âprement, par le simple fait qu'il est à son insu essentiellement un épistolier, de sorte que ses idées en définitive importent moins, et heureusement car ainsi elles ne l'entraînent plus aujourd'hui dans les aléas de leur précarité qui est grande. Dans une lettre, on peut écrire n'importe quoi. Ce n'est pas cette matière qui compte. En réalité c'est toujours autre chose. On sait bien ou l'on sent que Jean-Jacques Rousseau, quand il rédigeait ses livres, cet étrange personnage, ne se quittait pas pour le sujet dont il parlait, de sorte qu'en définitive tout chez lui demeurait dans un rapport étroit, qui était de loin le principal, avec ce qui n'intéresse jamais au premier chef que l'âme qu'on a et même n'intéresse qu'elle. Rousseau à la première personne. Il n'est guère jamais autrement. Quoi qu'il écrive, c'est un être qui se parle à lui-même ou qui parle à quelque interlocuteur plus ou moins mythique, et toute son œuvre dit la puissance d'attraction du bonheur, même ses écrits théoriques, comme *Le Contrat social* ou ses *Discours*, ce qui est en effet extrêmement personnel.

9

L'imparfait absolu

J'ai changé presque continuellement au cours de ma vie et ces modifications incessantes se sont reflétées dans des réalités diverses : mon caractère, mes occupations, mes buts, mon style, et ceci n'a plus de fin. J'ai toujours évolué et mes idées ont considérablement changé aussi. Ce qui m'importait n'est plus souvent ce qui m'importe. De larges mouvements correspondant à des positions successives de l'âme et de l'esprit m'ont tour à tour transformé, comme, par voie de conséquence, ils me faisaient extérieurement changer de direction. J'étais surtout tourné vers le dehors, je suis rentré en moi-même, j'en suis sorti, j'y suis rentré, et ces diverses étapes marquées par des dispositions tellement opposées, loin d'être brèves, pas une n'a duré moins de dix ans, et il y en eut quatre, avec des périodes de transition dans chaque cas. Mais ceci n'est pas très intéressant. Je n'écrirai jamais mes mémoires, même intérieurs. Ce n'est pas l'affaire d'un homme qui change, ni celle d'un homme qui vit. Ce que je vous donne à lire ici, vous le savez, ce ne sont pas des mémoires, et les temps passés du verbe, souvent utilisés, n'y sont là que pour exprimer tous les présents dans le présent qui est. Aussi bien l'imparfait n'y veut-il pas dire surtout le

passé mais davantage un présent perpétuel, un présent
peut-être successif mais ayant empire sur l'actúel.

Aucun temps du verbe ne peut exprimer spécifiquement le perdurable ou l'éternel, mais l'imparfait peut
à la rigueur servir à cet usage. Il devient alors un temps
fictif, un imparfait semblable à un miroir, un miroir qui
aurait le don de refléter en une seule, imaginaire, trans-
cendante, les diverses positions du temps, y compris
l'avenir. Mais cet imparfait universel vaudrait également
pour évoquer statues et actes d'un autre monde, que nous
croisons toujours dans nos existences, un monde nullement
réductible au nôtre. L'imparfait serait par convention ou
par écho le temps de ce qui est parfait. Il faut qu'existe
ainsi une fonction du verbe entièrement sortie de son rôle
temporel déterminé, pour flotter au-dessus de la grammaire
et réfléchir de là-haut l'invisible. Un ami m'a signalé un
jour le rôle bizarre de l'imparfait dans certains de mes
écrits. Je ne m'étais jamais avisé de cette particularité
plus ou moins «prophétique». Mais comment dire? C'était
plutôt un temps recouvrant plusieurs temps, dont celui
du futur.

Une fois, je voulais parler de vous et je le fis dans
une quelconque nouvelle, sur le mode de l'imparfait, dou-
blant, d'un temps inventé, des imaginations prises aussi
dans un ailleurs mythique. C'était une fois de plus confier
ce qui existe à l'entremise de ce qui n'existe pas pour
révéler à fond ce qui existe et l'aimer davantage. La
nouvelle, le roman, utilisés de la sorte, projettent les réalités
dans l'irréel et par ce moyen les éclairent comme jamais.
Ils leur ajoutent du mystère, qui paradoxalement les rend
moins obscures. Rien ne peut être deviné ainsi sans s'éloigner du champ de la vision naturelle. Il faut lire dans
des signes plus ou moins ésotériques le sens de l'être et
des êtres: dans un tableau, une poésie, une histoire, enfin
dans tout ce qui apparaît à première vue comme n'ayant
pas de rapport avec un réel donné, dans le cas un réel

qui serait vous, par exemple, sous un personnage de nouvelle. Un individu en chair et en os se livre mais apprend peu de lui-même à d'autres. Au contraire, un mystère organisé par l'art n'est à ce point de vue pas autre chose qu'un secret bien gardé qui se trahit incomparablement. En pareil état de séparation, la nouvelle, ou le poème, ou le tableau, auront l'air constitués pour contenir un secret. Mais ce secret parlera.

Un tableau, un dessin, une poésie, une histoire, oui, mais aussi cet imparfait dont il est ici question et que j''appellerais l'imparfait absolu. Je parlais de vous au passé, mais ce n'était pas du passé. C'était un temps sans rapport avec le temps mais seulement avec l'essence. Temps irréel. Temps de l'irréalité, qui serait pourtant le temps propre à ce qui se cache tout au fond du réel. Il ne faut pas regarder l'objet, il faut regarder ailleurs. Contempler ce qui est intime à travers ce qui semble étranger. L'imparfait absolu, l'imparfait de style, disait ce que vous étiez dans la plus profonde actualité, mais il le disait dans un passé qui n'existait pas comme passé. De même, dans le récit, vous étiez une autre. Quelle était cette troisième personne? Un personnage. Un personnage est une personne qui n'existe pas. Vous aviez cessé d'exister pour *être* enfin. Là on pouvait aller vous joindre et vous ne savez pas combien étroitement! Rien de transcendant n'existe, pour l'esprit ou pour l'âme, dans un rapport trop simple entre deux personnes quelles qu'elles soient. Ce que l'on peut saisir d'un être de manière illimitée gît toujours là où il n'y a rien réellement mais où est suspendue à la place une image qui soit cet être en quelque sorte transsubstancié. Le roman fournissait cette image de vous dans un personnage distancié. Un tel lieu constitue l'un de ces endroits à part et différents où peut enfin se concentrer ce qui d'un homme ou d'une femme demeurerait sans cela évanescent, ou enseveli, gardé dans un néant pratique jusqu'à la mort. Sur-actualité du symbole! Il dit incessament ce qu'il paraît recouvrir. Détour, voie unique. Et large chemin du cœur...

Je regrette de vous compliquer les choses quand en vérité je les simplifiais pour moi par le biais de l'art, cet art grâce auquel, à mes yeux, tout ce qui était de vous recevait l'illustration la plus vive. L'art, qui semble vivre par l'apparence, est le divulgateur de ce qui n'est justement pas l'apparence mais son contraire le plus étonnant.

Je ne suis pas un professeur et, quoique d'aspect raisonnable, j'en suis tout l'opposé à mon gré. Je pratique les choses, je ne les enseigne pas. Je faisais cet art-là qui consiste à reprendre le monde dans un monde supposé disant incomparablement plus. Je vous métamorphosais dans mon imaginaire et j'arrivais ainsi à vous joindre et à vous toucher telle que vous étiez dans l'infinitude. L'imaginaire découvre une plus profonde réalité, et l'arbitraire de l'art révèle, par accident toujours, l'élément de profonde nécessité qu'il y a dans les êtres. En l'art, les choses surgissent comme dans un univers renversé. L'ailleurs de l'art n'est pas l'ailleurs. Il offre à la fois le contraire de l'illusion qu'il y a dans la présence et de celle qu'il y a dans l'absence. L'art désigne les choses non pas en se tournant vers elles comme on fait d'ordinaire mais en s'en éloignant. L'imparfait est visiblement le temps à employer pour ce qui s'éloigne ainsi et exécute une fausse disparition. Je paraissais vous éloigner par des situations de roman, employant de surcroît pour le faire un temps du passé. Vous sembliez perdue dans ces fantasmes, comme lancés dans le non-être du temps révolu et de l'irréel. Mais c'était tout le contraire. Ma création conférait de l'autonomie au personnage de mon récit et par ce moyen l'inconscient de votre personne devenait mieux perceptible en lui. De toute façon, même quand ce personnage coïncidait trait pour trait avec vous, il n'en reste pas moins que ces traits-là avaient maintenant une nouvelle existence. Ils cessaient d'appartenir à l'éphémère.

Vous deveniez par eux inaltérable. C'était votre être, mais frappé dans l'être. L'éternité est la seule révélation qui soit. La contemplation exige que l'objet contemplé participe de cette éternité. Ainsi, par le portrait écrit que je faisais de vous dans le temps sans défaut et analogiquement éternel d'un récit, vous me reveniez du milieu de celui-ci comme éternelle, non plus comme fugace et incertaine. Vous deveniez objet du «long regard» dont parle Valéry: immobile, dans une existence non précaire. Vous n'étiez pas égarée ni exilée. Vous n'aviez pas disparu dans un personnage de papier. Le roman ne vous avait rendue ni inconsistante, ni empruntée. Je le savais mieux que personne. Par mon récit, vous m'étiez rendue, plus intacte. Définitive, comme toute personne l'est en l'ignorant cependant jusqu'à la fin. Ce n'était plus la même chose. Vous aviez gagné des points d'immortalité. En cet état, qui a l'air abstrait quand on en parle, on se trouve au contraire extraordinairement à portée du sentiment. Et puis, à un niveau quand même moins altier, mon récit était sensible, et vous, dans ce récit, demeuriez, comme à l'ordinaire, faite d'une humanité sensible aussi, très proche de ma qualité rien qu'humaine, et que je ne pouvais qu'aimer.

Je vous aimais davantage du fait que tout ceci avait la spiritualité littéraire qui rend une réalité ou un être si assimilables par l'âme. Car il n'y a rien de plus proche que les mots qui décrivent un amour. C'est presque sa matière même. La musique ne peut aller plus loin dans une âme que cet alliage du son et du sens explicite et implicite. J'avais parfaitement conscience des raisons pour lesquelles j'écrivais l'histoire fictive dont je vous parle. Il y en avait d'obscures, comme celles, générales, pour lesquelles on écrit ou l'on exerce un art. D'autres, inclinant vers la contemplation. Mais il y en avait aussi de plus particulières et c'étaient les plus immédiates. Nullement détachées, celles-ci contenaient de la passion. Il s'agissait toujours d'être avec vous. Ceci n'était guère à l'imparfait.

Je songe aux quatre notes obsessionnelles de Beethoven, qu'on trouve à maints endroits dans son œuvre. Elles me paraissent correspondre au martèlement concis et péremptoire, au bruit rythmique de ce qui est. Il y a un rapport entre ces notes et l'imparfait absolu. L'imparfait purement grammatical exprime, non pas un instant ponctuel, mais déjà une certaine durée dans la durée, donc déjà de l'existence. Par agrandissement de sens, l'imparfait, devenant imparfait absolu, ou «prophétique», ou d'art, se transforme sémantiquement en étendant son pouvoir de signifier l'existence à tous les espaces de la durée, passé, présent, futur. Il se rapporte à une espèce de durée où ces catégories temporelles deviennent quelque chose de relatif et même n'ont plus aucun sens. Nous voilà donc dans un temps en réalité sorti du temps. Qu'est-ce alors que d'y mettre des personnages aussi? C'est également les sortir du temporel et des contingences. Ceci revient à les plonger dans l'existence sans faille, sans fin. Je vous avais prise dans une condition et vous avais introduite dans cette autre. Vous ne pouviez pas savoir. Vous preniez, dans mon roman, par quelque métempsychose définitive, une essence qui ne se dissoudrait plus. C'était la vôtre mais enfin établie dans la solidité de l'être. L'imparfait ne cessait de la redire, au présent invariable. J'accédais pour ma part à ce Présent, par et devant vous ainsi posé moi-même dans un autre monde. Tel est l'effet de l'art, bien sûr. Il vous fixait dans une altérité dont je voudrais bien comprendre davantage le sens et la fonction. Mais je n'y arriverais pas. C'est une altérité ayant à voir avec la transcendance, par analogie ou autrement je ne sais. Je ne puis que me borner à constater que jamais l'éternité n'apparaît dans les personnes ou choses réelles, temporelles, concrètes, directement regardées, mais que *toujours* elle se montre dans une fiction du réel, non vraiment spatiale, non la personne ou la chose même, image sous-traite de quelque façon au temps, abstraction pour ainsi dire, qui forme une glace où va se refléter ce qui ne se laisse pas voir du réel: cela qui, de lui, *est.*

Vous étiez devenue un personnage *étant* (comment dire cela autrement?) C'est un grand aliment pour l'amour de quelqu'un, croyez-moi. L'amour se prête alors à une succession de stations, au sens liturgique de ce mot, disons ceci analogiquement. Naturellement, pareille idée est aujourd'hui inintelligible. Se placer devant la divinité d'une personne. Vivre un sentiment continu. Le diriger sur une présence absolue. Et que cette présence, ce soit quelqu'un, vous comprenez? Voir celui-ci dans l'autre ordre. Le regarder par la croisée de l'art, ouverte sur la perfection seule. Mais les mots sont impuissants ici. Vous avez été évoquée, par moi, par l'art, jusque dans l'existence qui ne décline pas. Quand une personne entre ainsi dans l'être, elle ne se trouve plus la même et elle demeure la même éminemment.

10

L'histoire de la marquise

Il n'est pas question ici de théologie ou de morale. J'interroge seulement l'expérience et non pas des systèmes, ni des philosophies, ni même des croyances. Probablement guidé au demeurant par des idées obscures, mais bien davantage, il me semble, par une forme de désir. J'expérimente. J'évite la simple élucidation, qui ne conduit jamais à être, et c'est là le plus important enseignement de Valéry, qui l'a illustré malgré lui et dont la leçon à ce propos ne relève pas chez lui du discours mais du fait. Il l'a illustré à ce point que, pour ma part, je n'arrive à relire aucune de ses œuvres de prose sans éprouver à chaque moment ce qu'elle tue, malgré mon admiration pour l'œuvre et sa rigueur. Voilà un cas où l'attention, systématiquement dirigée sur la donnée clairement intelligible des choses plutôt que sur la métaphore ou sur des essences cachées, rate la création du monde...

Valéry essayiste est certainement un grand maître, mais ce que ce maître montre le mieux, par l'exemple, en fixant avec obstination son œil intellectuel directement sur l'objet, c'est que nous ne pouvons pas voir... Nous ne sommes pas doués pour un commerce intellectuel objectif avec l'essence des êtres. Mais je ne me borne pas à affirmer que Valéry prouve, en appliquant sa méthode d'intellection, la vanité de celle-ci, dont il met en relief l'échec comme cela n'avait peut-être jamais été fait dans le même sens et au même degré jusqu'à lui. Je vais plus loin. Je tiens que l'expérience valérienne, très importante parce qu'exemplaire et d'une qualité rare, est typique non seulement par l'impossibilité qu'elle montre de pénétrer grâce à son optique les mystères de l'inconnu, mais également parce qu'elle produit l'effet moral de décourager d'être. Elle stérilise et elle fige. (Au Québec, il y a trente ou quarante ans, Pierre Baillargeon, trop faible et trop obéissant devant pareil exemple, et trop limité sans doute aussi, fut une de ses victimes littéraires et peut-être jusqu'à un certain point victime aussi dans son inspiration générale de vivant.) Intellectuelle, elle est échec intellectuel; elle avoue implicitement l'échec comme peu d'œuvres de pensée l'ont jamais fait. Mais elle signe un autre avertissement, qui est comme une affiche que l'on pourrait placarder devant cette œuvre de prose et d'examen: échec existentiel. Le regard valérien est un acte létal. Il plaide par conséquent contre lui-même. Ce que Valéry nous a légué dans ses chefs-d'œuvre de prose, c'est le plus impeccable exemple d'une erreur. Cette erreur est telle que si son verbe était au principe de l'univers, celui-ci, précisément, se dessécherait là. Il n'y a pas de principe vital à l'œuvre dans ces textes, si ce n'est ce qu'il en faut pour qu'ils existent eux-mêmes. Rien n'a jamais été écrit de plus parfait et à la fois de plus arrêté.

Tout cela est singulier, car Valéry tenait beaucoup à ne pas être dupe. «La bêtise n'est pas mon fort.» Il est la dupe de son intelligence entêtée, qui le conduit à une bêtise inattendue qui est la mort. Fixer obstinément l'intelligibilité proprement dite des choses et ne fixer qu'elle, c'est se condamner à ne pas voir ce qui ne peut pas être vu...

La vie se fait connaître par des moyens qu'on ne saurait réduire à ceux de l'intellection pure. Donc, celle-ci, qui par définition s'interdit l'irrationnel ou du moins toute seconde vue, termine l'intelligence sur le point qu'elle examine. Elle la fait mourir là, à cause de son parti pris. L'esprit exagéré d'exactitude fait d'elle quelque chose d'assez semblable à une machine, et d'aussi peu de ressources qu'elle. L'intelligence refuse alors ce qui n'est pas prévu dans son programme, par suite de ce qu'on peut appeler une définition d'elle-même. Les autres voies de la vie vers la connaissance sont fermées à cause d'elle. Elle se définit, elle se délimite, elle se finit. Elle se divinise, si l'on veut, mais selon une étroite idée d'elle-même. Chez Valéry, comprendre, c'est aussi s'emprisonner. Je ne crois avoir rien lu de lui montrant qu'il fût bien conscient de cela. Son instrument intellectuel était aigu, mais, chez lui, la pénétration consistait à aller se prendre. Il a recommencé indéfiniment le même geste. Cela s'entend, car c'était un geste exclusif.

Il y avait là du défi, peut-être par dépit humain de n'être pas mieux avantagé par les dieux, l'homme n'étant que ce qu'il est. S'en tenir par honneur et par provocation à une stricte intelligence, poser ce point final. Brandir la preuve du tort fait à l'homme en poussant à l'extrême l'idée de son infirmité, par l'exercice de sa compétence la plus évidente mais limitée. Ne consentir à aucune concession à cet égard. Combattre toute illusion, voire toute représentation présumée illusoire. Valéry: Prométhée désabusé et sans visées, vaincu mais décidé à ne jamais céder sur le principe. Produit extrême et différé des XVIIIᵉ et XIXᵉ siècles, et du vieux scientisme. Valéry? La fin de la philosophie, provoquée par la philosophie, ce qui est bien connu, mais la mort des méthodes par la méthode, ce qui l'est moins.

Chaque texte de lui lance aux dieux une accusation, les blâmant, quoique non expressément, d'avoir fait l'homme aussi borné par les horizons de sa faculté intellectuelle. C'est ainsi que j'interprète l'obstination qu'il met à tenir un discours toujours parfait par la lucidité. Il a sans cesse l'air de dire que, les hommes étant ainsi doués de peu de moyens, il mettra ce fait sur le nez de qui de droit en montrant combien l'instrument intellectuel humain est parfait dans ses limites, mais combien c'est peu et combien c'est injuste. Il fait voir positivement que c'est peu, puisque la perfection même de l'intellection donne un produit manifestement dérisoire. Il le prouve, par le fait. Il exerce sa lucidité comme il blasphémerait. J'ai toujours cru sentir le cynisme de cette prose, mais un cynisme noble en quelque sorte. Il porte reproche. Mais froidement, silencieusement. Valéry refuse, dans sa prose, de faire le moindre crédit à un mode d'intelligence qui ne serait pas celui du regard exact. Vous m'avez fait ainsi, je vous rends la monnaie de la pièce. L'intelligence selon Valéry explore les coins de son réduit. Elle se fait gloire de s'y tenir. C'est une intelligence triste. Une intelligence athée.

Parfois l'attitude morale qui la sous-tend et qui ne manque pas de grandeur noire me fait penser à celle de don Juan, dans un autre ordre. Valéry refuse d'écouter ce qu'il n'entend pas. Don Juan refuse tout ce qui n'est pas sa vie telle qu'il la sait. Les deux témoignent contre l'humilité, et chacun contre son propre non-savoir. Les deux sont métaphysiques et l'un et l'autre le nient. Tous deux s'acharnent à rester maîtres absolus, l'un de sa pensée, l'autre de ses actes. Ni l'un ni l'autre ne s'en remet à l'inconnu. Ils règnent sur une désolation. Ils n'en sortiront pas et, s'il est quelque chose qu'ils refusent, c'est l'assistance. Valéry est si intelligent qu'il ne peut pas ne pas connaître l'exiguïté de son domaine. Mais plutôt que de faire de cette évidence le pivot d'une expérience où la rigueur de son intelligence ne serait plus la seule règle, il se fera de cette rigueur une loi à ne jamais enfreindre. Il s'y tiendra. Comme don Juan, il opposera absolument sa condition humaine à une condition divine et il n'en démordra pas. Si don Juan épouse quelque chose, c'est son destin. Il y a du destin dans le choix de Valéry également, et sensiblement de même sens.

Valéry aurait dû laisser la marquise sortir à cinq heures. Mais il dit partout que cela ne se fait pas. C'est dans la célèbre phrase sur la marquise qu'il a, d'une manière badine et sans peut-être s'en rendre compte, exprimé le plus précisément sa pensée sur la méthode. On peut considérer son œuvre philosophique comme une paraphrase de cette boutade. La marquise sortant littérairement à cinq heures, c'est la distance que prend l'idée libre et voyageuse par rapport à la constatation rigoureuse, immédiate et certaine. On ne sait trop où la marquise peut bien avoir derrière la tête d'aller virer. Si elle allait faire des folies... On ignore ce qu'elle va pour le coup nous annoncer... On n'exerce plus de contrôle sur elle, voilà. Comment savoir dans quel état elle va rentrer? Dès qu'on lui laisse passer la porte, c'est ce qu'il faut se demander. Écrire un roman, c'est comme prier et c'est comme peindre: c'est laisser entrer l'inconnu à pleine porte par où l'on est sorti, et de l'inconnu peu vérifiable... Quand on pense que Valéry tenait à inspecter chaque mot, pour ce qui est des mots, et chaque présence, pour ce qui est des présences! De sorte qu'il n'était pas question de laisser entrer, par exemple, l'Histoire. Ou bien Dieu. Ou encore, pour tout résumer, Péguy. Lequel, justement, a écrit sur l'Histoire, sur Dieu et sur Péguy... Pages pleines de présences certes discutables, mais qui sont d'une présence!

Valéry n'ouvre pas la porte, ne donne pas accès. De sorte que chez lui il n'y a pas d'intrus. Quand il a voulu créer un personnage, c'est M. Teste qu'il a inventé et ce monsieur a la particularité de n'admettre personne. Le poème le plus humain de Valéry est peut-être *La fileuse*;

or c'est quelque chose d'admirable pour les mots mais de mièvre pour le tableau. Il faut donc penser que, l'auteur ayant tout juste entrouvert sa porte, ce qui a pénétré à l'intérieur n'est qu'une idée, l'idée de fileuse, ça ou autre chose, c'est sans importance. Effectivement cette importance est si minime que n'importe quel autre sujet aurait pu indifféremment s'introduire. Ce qui s'est faufilé, c'est une image romantique, vieillotte et par là quelque peu ridicule. Alors je dois supposer (n'en sachant pas davantage) que l'écrivain a fait un pari. Sur son entière indépendance par rapport au sujet. En principe, il refusait les intrusions. Ce qui s'en est retrouvé dans son œuvre, par distraction ou pari, est là pour d'autres raisons que celles d'une visitation. Rien ni personne n'est venu déranger Valéry chez lui.

Cette histoire de marquise est donc révélatrice même si l'auteur ne songeait à ce propos qu'aux œuvres littéraires et à l'impossibilité d'écrire quoi que ce soit de trivial. Valéry ne saurait s'aliéner dans un personnage ni même une phrase qui se ferait sans lui ou à tout le moins sans son aveu dûment estampillé. S'il manque un élément à ses admirables poèmes, c'est peut-être un peu plus de cette connaissance, de cette aura d'une connaissance transportée anonymement, depuis ailleurs, dans une matière déjà par elle-même informée d'au-delà. La poésie de Valéry n'arrive pas assez gratuitement d'un lieu où l'artiste lui-même n'a aucun accès. Elle est trop pleine de trésors dont l'écrivain l'a chargée par travail et lumineux calcul, pour ce qu'elle en porte qu'elle ne tiendrait de personne. Ce dernier avantage est bien plus précieux que l'autre. Il y a chez Valéry un certain déséquilibre entre le premier et le second.

La marquise aurait représenté une chance à cet égard. Un auteur qui a affaire à une marquise ne sait plus aussi bien ce qu'il fait. Mais comme elle l'oblige à continuer tout de même d'écrire puisqu'il faut bien qu'elle fasse quelque chose et qu'elle le fasse d'elle-même, cette écriture trop libre par rapport à l'artiste parce que non gouvernée par lui absolument laisse sur son passage une signature autonome, également inconnue de la marquise et de l'écrivain. Il n'y a pas d'art sans ignorance de cette nature. Au Louvre, le portrait de François Ier par Clouet n'est pas, en un sens, un portrait, ni l'image de François Ier, ni cette image de François Ier par Clouet. Plus profondément il est autre chose, que véhiculent modèle, matière et artiste, tous déjoués. La vraie signature d'une œuvre n'est pas celle de son auteur. On ignore jusqu'à la fin des temps qui l'a signée. Ce n'est pas nous, ce n'est pas vous, ni personne. Vous comprenez, n'est-ce pas? que nous ne sommes pas les maîtres.

Celui qui la signe, c'est celui qui fait qu'elle renferme une connaissance indicible. Mais celle-ci n'appartient pas à l'artiste, elle l'excède incommensurablement comme on sait. On ne met pas du sens dans une œuvre; le sens s'en dégage incompréhensiblement. Il y a autant de disproportion entre l'acte de l'artiste et l'effet de signification qu'il obtient, qu'il y en a entre la force personnelle dérisoire d'Archimède et celle qu'il exerce par le moyen d'un levier qui soulève le monde. L'homme n'est rien. Mais qu'est-ce qui est tout? Car ce tout parle.

Le non-savoir fatiguait Valéry. Il voulut le réduire à l'extrême. Mais ce fut un curieux parti pris, qui n'eut pas tant pour effet de diminuer l'inconnu que d'empêcher ce dernier de venir abondamment parmi nous, masqué comme il ne cesse jamais d'être. Valéry ne savait pas assez qu'il faut ne pas savoir. Il avait certes davantage le préjugé contraire, spécieusement déguisé sous la forme d'un jugement, et d'un jugement éclairé.

Il affichait une horreur de l'approximation. Il aboutit de la sorte à ce qui n'en était pas une mais au contraire une erreur très précise consistant dans le fait de forclore l'infinie réalité qui ne peut approcher de nous qu'enrobée dans des représentations, mythes, signes, prétextes, mystères, avertissements, voiles, espoirs, troubles, révélations, prémonitions, apparitions, fois, et c'est presque tout l'être, en vérité...

Heureusement, Valéry s'est buté à l'obstacle de la poésie écrite, le principal ici n'étant pas de la penser mais de la pratiquer. Il y a une distance et une certaine contradiction entre ces deux activités. Le poème à faire obligeait l'auteur à partager avec le mot, force indépendante, le pouvoir de connaissance, qu'il ne pouvait plus assumer seul et dont il devait au contraire céder la majeure partie à l'expérience propre du vocable et du vers. Il abandonnerait donc aux mots, c'est-à-dire à l'indéfinissable, une portion de son pouvoir de dire et de celui d'évoquer; mais il se désisterait davantage s'il se peut en faveur de la forme, qui est encore moins explicite. La clarté des idées de Valéry dans les questions de prosodie, d'étymologie, d'efficacité des procédés, serait particulièrement grande, mais il ne passerait pas la frontière interdite. D'ailleurs Valéry était trop clairvoyant pour ne pas se rendre pleinement compte de l'existence de celle-ci. Il mettait même à profit la conscience qu'il en avait. D'où la concentration de mystère et un certain hermétisme dans nombre de ses poèmes. Il assumait donc les conditions de son art et il les compliquait à dessein, s'imposant librement plus de barrières que d'autres poètes. Peut-être ces artifices additionnels devenaient-ils trop visiblement recherchés, qui pourtant aboutissent chez lui à une perfection rare. Mais quoi qu'il en soit, ce poète s'est prosterné comme un autre sur le seuil du temple où l'on ne peut entrer et il a proféré les invocations prescrites, soumis alors au mystère plus qu'à ses idées sur le devoir de comprendre.

Pourquoi tant vous parler de Valéry? Sans doute parce qu'il est un auteur-charnière par rapport au propos que je vous tiens. L'être n'est accessible ni par l'idée claire, ni par quelque possession directe, mais Valéry veut justement forcer cette limite, bien qu'il ne réussisse qu'à la souligner tantôt par une prose qui exclut le commerce avec l'irrationnel mais meurt, tantôt par une poésie bien obligée de lui sacrifier au contraire dans une certaine mesure ce qu'il faut. Cet auteur témoigne contre son propre gré au procès que j'intente et c'est bien mieux. En fait c'est la nature des choses qui témoigne, quoi qu'il dise et quoi qu'il fasse. C'est toujours ainsi, mais un cas extrême est plus probant.

11

Don Juan, suite

Tout est caché, enfin tout ce qui importe. La vie
offre une suite de contradictions qui font deviner les ar-
ticulations apparemment absurdes d'une transcendance
dans nos vies, contradictions comme celles-ci : ce qui paraît
n'est rien, la possession n'est pas grand-chose, la présence
s'évanouit d'elle-même, la réalité ne vaut pas les miroirs
de l'art, l'adoration donne plus de joie que tout avoir, et
enfin, voici le plus étrange : on tend sans relâche à apprendre
et à toucher justement ce qui ne se livrera jamais et qui
toujours sera porté pour nous par des énigmes chargées
de réponses celées, pourtant les seules que demanderait
à connaître le cœur avide. C'est ainsi. Ce sont d'ailleurs
là de très anciennes idées, contre lesquelles a cru pouvoir
s'organiser la vie contemporaine, qui a pris plus ou moins
comme postulat leur contre-pied.

Je vous ai beaucoup parlé de symboles, de l'être qui
ne se livre pas directement, du paradoxal accès vers lui
par ruses et par secrets. On veut aller à lui ? Il faut aller
vers ses reflets. Si l'on ne possède jamais l'univers, il est
possible de posséder de lui du sens. Or, saisir ce dernier,
c'est prendre aussi, immatériellement, l'objet qu'il signifie.
Je soupçonne donc le sens d'être tout, du moins pour
l'âme — c'est-à-dire la signification et le signifié tout aussi

bien, offerts tous deux à notre embrassement de cette manière et de nulle autre. Nous sommes essentiellement contemplatifs. On peut bien prétendre le contraire, agir en conséquence, et nous le faisons sans cesse dans nos vies particulières, quelque idée que nous puissions entretenir sur ce problème. Mais enfin cette erreur ne change rien à l'affaire. Tout est à l'envers. Tout est à l'endroit, mais ailleurs.

Certains ont voulu que l'endroit, ce fût ici. Il en a été décidé de cette manière une fois pour toutes et c'est une question classée. Le Gide des *Nourritures terrestres* prend pour l'endroit ce qui est l'envers et il propose la positivité de ce qui ainsi n'existe pas. À ses yeux, pour obtenir le sens des choses et le bonheur, il s'agit de prendre les choses elles-mêmes et d'affirmer que l'ordre philosophique coïncide avec l'ordre «physique», employons cette métaphore. Autrement dit, le sens serait livré avec la marchandise et non l'inverse comme je le suggère. On découvrirait le sens dans la marchandise et non au contraire celle-ci dans et par le sens. Voici ce qu'il faut dire au contraire: que peut-être la marchandise ne doit jamais être autre chose que le sens bu...; que nous sommes nous-mêmes quelque chose de bu, et Dieu pareillement.

Plus je vais, plus je crois découvrir en André Gide, considéré comme philosophe, un borgne, dans la mesure où sa doctrine coïncide avec celle de cet ouvrage, et je pense qu'à tout prendre elle y reste fidèle. On sait qu'un œil seul ne peut apprécier la profondeur d'un objet par rapport à un autre. D'une manière que je veux faire ressortir, Gide les ramenait tous au premier plan. Les «nourritures terrestres», c'est cela, me semble-t-il: les biens exposés sur un seul plan, essentiellement celui qui serait à notre portée, et ces biens, à ce rang, donnés pour aliments idoines.

Or c'est justement ainsi qu'ils ne valent rien. Le livre de Gide à ce propos, qui a bien son prix en tant que peinture du désir, est sans valeur pour la philosophie puisque la pensée de l'auteur en l'espèce ne trouve aucun appui sérieux dans l'expérience. Les jeux subtils, les chatoiements autour de son idée, le désir du seul désir même, les émois de toute espèce qu'il recherche (fussent-ils parfois proches de l'ordre du renoncement), rien de cela n'altère vraiment sa philosophie de la possession.

Nulle part, dans cette philosophie, la poursuite des biens présentés comme le bien n'est qualifiée d'absurde. Mesurez donc, par une contradiction extrême établie par d'autres auteurs, l'illusion de Gide: la génération qui l'a suivi a condamné l'existence même en la qualifiant d'absurde, y compris forcément les nourritures entrevues par lui comme le paradis terrestre... Ce sont des témoins qui ne le réfutent pas mais qui montrent, par un autre système et par un aperçu sur d'autres dimensions, l'étendue de son incompétence. Ce rapprochement lui pose une puissante question en effet.

Simplifions, peut-être trop — mais il s'agit ici de saisir l'idée fixe d'une pensée mouvante. Gide a considéré la concupiscence, qui n'est qu'une ruse mensongère, passagère, superficielle et nécessaire de la nature, comme la première phrase d'une réponse droite, soutenue, fondamentale et en tout point véridique, dont la seconde serait la possession. La philosophie a cherché là un fondement. Le faux servant d'assise au vrai. La concupiscence rapproche l'objet désiré, comme par un effet optique, de sorte qu'on n'aperçoit plus que cet objet et qu'il occupe l'âme et le corps avec une force et une exclusivité extraordinaires, comme si le bonheur qu'on escomptait de ce côté devait effectivement être obtenu. Rien de plus illusoire. Mais de l'illusoire, Gide fait quelque chose de supérieurement fiable. C'est de la mauvaise philosophie. Car il choisit comme modèle d'un ordre qui tiendrait ses promesses un artifice naturel qui n'en tient foncièrement aucune. Il en fait la clef de la sagesse, autrement dit celle du bonheur.

Gide, existentiellement, et Valéry, intellectuellement, tous deux veulent accéder à ce qui «est», à cela qu'ils pensent «être», ne croyant pas pouvoir atteindre ce qui «n'est pas», entendez «n'est pas accessible». Or c'est exactement l'inverse: on peut certes accéder à ce qui «n'est pas», on le peut au moins d'une certaine manière, mais l'on ne saurait atteindre ce qui «est». Don Juan en sait quelque chose, ou plutôt il l'ignore tout comme Gide et Valéry, mais, en le voyant agir, les témoins sont convaincus depuis toujours que les objets de sa poursuite s'évanouissent à mesure devant lui. Chez nos deux écrivains, du reste, comme chez don Juan, la démarche vers l'objet convoité est exclusive. Plus précisément, que font-ils tous trois? Ils empêchent l'inconnu de les surprendre. Ils occupent toutes les entrées, qui ne sont pour eux que des sorties — à sens unique, vers cela qui est évident et qu'ils peuvent toucher, soit par l'idée claire et circonscrite, soit par la possession. Ils entendent être sûrs. Mais comme ils veulent être sûrs et ne veulent pas être surpris, ceci les limite étroitement, ce qui est le cas plus particulièrement de Gide, par contraste, car il se piquait de disponibilité, de volonté d'accueil et d'universalité.

12

Le plus douteux
et le plus sûr

Je suis, mais à mon modeste rang, comme Valéry: j'ai encore trop de savoir et d'esprit de savoir. Je cherche trop pour trouver. Je critique trop pour apprendre. Je sais trop ce qui se passe, ce qu'il y a. Je suis probablement trop lucide. La lucidité ne va pas très loin.

Je cultive cette dernière depuis longtemps, parce que je pratique l'art de l'essai et que la netteté de l'idée exposée, dans cet art, est une nécessité.

On croit que l'essayiste a pour fonction d'élucider des concepts, de produire des idées claires, de faire comprendre davantage et d'une manière plus précise un sujet donné, comme faisait justement Valéry. Et cela va de soi. Cependant jamais l'on ne s'avise que le travail d'un essayiste, si celui-ci est écrivain, tend aussi, positivement si j'ose dire, à *ne pas* élucider de concepts, à ne pas produire d'idées claires, à ne pas faire comprendre davantage un sujet donné. De façon un peu moins paradoxale, on peut affirmer que l'essayiste, comme n'importe quel autre artiste, veut créer quelque chose dont on ne saurait exprimer le sens par une proposition intelligible. C'est pourquoi, si la discussion qui s'engage à partir de son texte se limite aux idées, l'essayiste a tout de suite le sentiment d'une réduction ridicule, d'une dénaturation

de son œuvre. Il ne peut guère souffrir ce genre de traitement, mais naturellement c'est ce dont personne ne se
rend compte, car les idées ont une telle évidence qu'on
s'imagine volontiers qu'elles constituent la seule raison
d'être d'une activité créatrice qui les prend amplement
pour matière. Il y a deux personnes dans un essayiste
écrivain: l'une qui se passionne pour les idées, l'autre
qui tient ces mêmes idées pour complètement indiffé-
rentes... La deuxième endure mal de passer inaperçue.
Ce n'est pas une question de vanité. Elle a alors le sentiment
très juste d'avoir travaillé pour rien. L'essentiel a échappé
au critique, ou à l'ami qui vous parle de votre essai. Il
n'a rien vu, rien compris. Il s'est rabattu sur les idées,
ce qui semble à l'essayiste une attitude d'inculte... C'est
tout juste si l'on ne veut pas contraindre l'écrivain à
revenir à ses idées, à les défendre, à disputer du terrain...
Il refuse. Cela l'ennuie. Il y a sans doute maldonne.
L'auteur n'est plus là, dans son chantier d'idées. Par
toute une partie de lui-même, il a dépassé absolument
les idées. Il ne veut plus en entendre parler. Il est parti.
Il laisse derrière lui un certain texte, qui est tout ce qu'on
voudra mais sûrement pas une simple thèse. Comme
n'importe quel texte vraiment écrit, celui-là contient
principalement ce qu'on ne saurait reproduire; il exclut,
par un certain côté, exactement, ce qu'on pourrait exprimer
avec d'autres mots, c'est-à-dire les idées. Il ne s'agit plus
de ces squelettes. Du point de vue où maintenant l'auteur
se place, cela est mort en effet, comme l'idée de Valéry.
Il refuse de sortir du cœur de son ouvrage pour aller
encore définir, énoncer, comparer, mesurer, discuter, retenir ou rejeter l'idée inerte, si importantes que soient
par ailleurs les idées pour la politique, pour la philosophie,
voire pour la littérature. L'important doit se subordonner
à l'essentiel, pense l'écrivain.

   Les pages d'un essai, qui donnent à voir le plus
intelligiblement possible ce qu'elles divulguent, sont

néanmoins autant d'attestations de ce qui demeure soustrait à la vue et à l'intellection. Elles reflètent un au-delà de tout ce qu'on peut dire. Elles manifestent invisiblement cela et elles le font par un effet extérieur qui simplement en témoigne, à peu près comme la limaille de fer fournit la preuve d'un champ de forces cachées. Pourquoi est-ce que j'écris? Sans doute surtout pour amener à portée ce qu'il est radicalement impossible de noter. À un certain niveau, c'est le seul but. Les idées composent avec les mots, selon la forme, je ne sais quoi d'autre. Les composantes (idées, mots pour les dire) sont inférieures, n'ont plus lieu d'être, disparaissent dans l'inutilité où elles tombent par rapport à cet objet nouveau. (Je ne m'intérese vraiment qu'à ce porteur d'inconnu.)

Je le sais mieux que le lecteur. J'ai toutes les chances de mieux le savoir. C'est normal. Je communique mieux que lui avec mon texte mais surtout avec ce que ce dernier ne saurait livrer explicitement. J'entretiens avec ce texte un rapport très sensible, que je m'efforce de rendre possible chez le lecteur lui-même mais avec un succès bien relatif, je crois, car les idées accaparent aussitôt ce lecteur et ne lui laissent plus de liberté. Qu'est-ce qu'un essai, selon ma conception? C'est une œuvre qui, par le moyen de réponses censées réduire l'inconnu et le mystère, suggère primordialement des réponses énigmatiques. Et puis ce ne sont pas des réponses, c'est plutôt un contact. Mais un contact lui-même inexprimable. Contact universel, peut-être. Les lettres existent pour cela avant tout. Elles font le pont avec l'éternité. Elles partent avant l'heure, et avec une joie!

L'essai n'est pas nécessairement un texte mort, mais il est en danger pour des raisons évidentes. J'agis de mon mieux contre ce danger. Y réussis-je? J'en doute beaucoup. De toute manière, je ne crois qu'en ce qui vit. On m'a dit qu'on sentait souvent de l'émotion dans mes écrits.

L'émotion est en tout la grande révélatrice. Elle sait qu'elle sait. Elle sait ce qu'elle sait. Mais selon son mode. L'échec de l'essai comme explication d'inconnu, qui est l'échec de Valéry, exige d'aller plus outre. L'émotion est voyageuse et elle voyage seule. Si elle était une personne, on verrait ce qu'elle a dans le regard, lequel serait, comme celui d'un marin, visiblement rempli d'immensité.

Ne pas penser pour des idées, ne pas écrire pour ce qui serait explicite. Ne pas chercher ce qu'on pourrait trouver. Il est certain qu'on peut aller avec passion, une passion qui chez plusieurs fut extrême, uniquement vers ce qui ne se laisse ni voir, ni toucher, ni comprendre. On n'a jamais pu comparer cela qu'à un royaume, donc à un territoire de roi. Notre cœur et notre tête dépassent comme le cœur et la tête d'un roi. Il n'y a rien à faire. On a beau le nier, efficacement le nier...

Qu'est-ce qu'il y a donc, qui est comme la lune, indépendante? Il y a toute l'étrangeté, devant laquelle aucune explication ne vaut. L'être ne relève pas de notre pouvoir, ni sa connaissance de notre savoir. Dès lors la connaissance purement intellectuelle est bien mauvaise maîtresse. Je ne vois pas de meilleur usage qu'on puisse faire d'elle que de s'en servir pour montrer son indigence inévitable, voire l'ampleur de son illégitimité et de son incompétence. «Nous savons au moyen de l'intelligence que ce que l'intelligence n'appréhende pas est plus réel que ce qu'elle appréhende», écrit Simone Weil.

Mais qu'est-ce que ces cogitations, de type intellectuel encore, dans lesquelles je me suis finalement laissé amener comme si elles tenaient une place importante dans mes représentations du monde? Celles-ci sont orientées plutôt vers une deuxième explication, une explication du second degré et qu'on ne saurait concevoir, une explication qui n'en est pas une, une implication plutôt? Une adhésion.

Un consentement. Un goût. Une reconnaissance du domaine. Un voyage, le plus douteux et en même temps et de loin le plus sûr. Un crédit, le plus ouvert qui soit.

Je ne voudrais plus explorer que par ces moyens-là. Valéry apprenait peu, à cause du système qui, lui montrant quelque chose, opposait ceci à ce qui ne pouvait être montré. L'acuité intellectuelle de Valéry s'employait précisément à tracer la ligne de cette opposition, qui était pour lui une frontière, donnée pratiquement pour telle à l'esprit humain. En la poussant le plus loin possible, il la marquait avec une insistance qui avait pour conséquence de la fixer. Son activité n'avait pas pour effet d'ouvrir les frontières mais de les fermer, comme fait l'Occident depuis longtemps. Comme penseur, Valéry se promène à l'horizon du visible et depuis cette ligne il n'y a plus pour lui d'autre horizon.

Cette question des horizons ne se pose pas dans le sens qu'on imaginerait d'abord à cause de l'analogie du regard physique. Ceux dont je parle ne se décrivent pas, ne se mesurent pas. Je sais cela par l'amour, qui dit tout à ce propos. La plénitude défie toujours les idées et la raison, immanquablement trop étroites. Souvent je n'ai rien opposé à un certain envahissement de ce qui avait pouvoir de me toucher, de m'avertir; rien refusé, ni analysé, ni considéré d'un œil prévenu, mais j'ai laissé venir, du reste sans parti pris ni décision aucune à ce propos. Les horizons, pour l'être, ne coïncident jamais avec une limite. L'amour est par nature incapable d'en distinguer une seule. En retour, les choses ne passent librement vers nous que par lui. Leurs horizons alors ne nous bornent pas, ils nous ouvrent. Horizon a deux sens: c'est une étendue pour le regard, ou bien la limite d'une telle étendue. Il faut choisir. Ce choix est crucial.

Être ouvert, être fermé. Je ne vois pas pourquoi la vision claire fixerait les bornes, les siennes, car en vertu

de quoi? Je préfère être gagné. Rejoint. L'inconnu ne se
dit pas nécessairement et s'explique encore moins. Si
Valéry avait raison dans ce que j'ai discuté de lui, même
la littérature n'existerait pas, elle serait morte au commencement. Il n'y aurait rien, du reste. Jusqu'à un certain
point il n'y aurait pas d'ailleurs. Plus qu'aucun autre
maître, Borduas nous enseigna jadis que c'est au contraire
cet ailleurs qui compte.

13

L'insolite

Il faut laisser monter en nous ce qui ne saurait être
identifié par nous. Cela requiert une indépendance, un
abandon, grâce auxquels l'être secrètement s'augmente.
Rousseau, contrairement à son époque, raisonnait moins
qu'il ne laissait à son insu prendre forme en lui des avenirs
nouveaux. Il fait plusieurs allusions à son innocence. Ce
qu'il faut retenir de l'opinion risible qu'il en avait, c'est
le signe d'une inconscience plus générale du personnage
à son propre sujet, touchant notamment sa situation-
charnière entre deux mondes. Un univers à venir germait
dans son esprit naïf. Je suppose qu'il vivait dans un rêve
et que, à cause du même défaut d'optique qui est aussi
la qualité du créateur, il était incapable de discerner aussi
bien la vérité moins pure de son être moral que ce que
sa pensée excessive enfantait d'un univers futur qu'il aurait
été étonné de voir réalisé Il faut le considérer comme un
instrument. À un certain point de vue, Rousseau est un
être impossible à comprendre dans l'instant même, mais
seulement, au contraire, dans ses virtualités. Il ne dit
pas, il est, pourrait-on soutenir en forçant les termes du
curieux problème que sa personne présente. Il est singulièrement ce qui peut être... Mais il l'ignore. Il se querelle,

il fuit, il est puéril. C'est quelqu'un de dérivant, de pathétique, de fou et de condamné comme l'humanité. Il
parle un langage qu'il n'entend qu'à demi. Cette irres-
ponsabilité supérieure et cette inconscience se trahissent
par le caractère puéril de plusieurs de ses idées quand il
se mêle de raisonner. La prophétie n'a rien à voir avec
les combinaisons de la raison. Les raisonnements sont
souvent les alibis involontaires d'un prophète, comme on
le voit par Marx. Rousseau ne s'attend pas à ce que les
générations futures remonteront jusqu'à lui non pour ce
qu'il aura dit mais été, par quoi il prophétisait.

Ces épisodes, ce caractère, n'ont aucun sens couramment intelligible et c'est pourquoi l'on se moque de
lui. Comment comprendre pareil individu dans les salons,
dans les affaires? On le comprend très bien, c'est-à-dire
qu'on ne le comprend pas du tout. La mesure des phi-
losophes n'est pas la sienne. C'est une mesure par trop
mondaine, au reste. Mais même si elle ne l'était pas, elle
serait encore insuffisante, car ce serait toujours de l'étude,
de l'observation, des déductions. Que faire avec cette
vanité? Que faire avec le sérieux même, en l'espèce? Avec
l'Encyclopédie?

Rousseau est un masque, une apparition, une figure
du destin: est-ce que cela se décrit? Et puis il y a son
écriture, qui tremble et prophétise aussi. Le parfait insolite
ne relève pas de la science; c'est par définition l'incompréhensible. Quand c'est la réalité qui s'avance sous une
forme cachée, un homme par exemple, un style également,
et quand ce n'est pas seulement un discours, contestable
comme tout discours, comment savoir ce qu'il y a là?
Comment le sujet lui-même le devinerait-il? Rousseau
était déjà son siècle défait et versé tout différemment dans
un autre et dans plusieurs autres. Cela tenait dans cette
personne plus ou moins lunatique. J'ai parlé de son «innocence». Bien sûr que sa conscience ne pouvait être
qu'innocente, non commise, en un certain sens, avec de

misérables contingences personnelles ou sociales; et d'abord, c'était un rêve: un rêve peut-il être coupable? Ce n'était pas un rêve de romantique, et je ne l'entends pas ainsi, bien que le romantisme subséquent ait amené à dire toutes sortes de choses plus ou moins superficielles au sujet de Rousseau. Il faut voir que le porteur de mystère n'a guère d'attache dans l'heure même, et donc, pour autant, pas de faute. Jean-Jacques devait sentir cela, confusément d'ailleurs, comme quelqu'un qui effectivement ne comprend absolument pas quelque chose. Que fuyait-il? C'est sa carcasse physique ou morale qui fuyait. Rousseau, ce n'est pas cette dépouille. C'est bien plutôt le personnage biblique, le prophète ignorant ce qui l'effraie et qu'il exprime, et malade de ce qu'il porte ainsi.

14

Une certitude étrange

Pourquoi les écrivains font-ils poèmes et romans, pourquoi les peintres peignent-ils, sinon parce que très loin, au centre de ce qui est, qui est également au fond d'eux, *ils ne doutent pas*. Ils doutent intellectuellement comme tout le monde de bien des choses, il est vrai, mais ceci n'a pas d'importance. Ce qui frappe au contraire, c'est leur certitude particulière, si grande qu'ils se feraient tuer pour ce qui en fait l'objet indistinct. (Elle ne consiste pas en une assurance touchant leur talent ou la qualité de leurs œuvres: là-dessus, ils sont plutôt sceptiques.) Ils tendent invinciblement vers ce qu'ils ne sauraient voir, qui n'a pas de nom. Ils ignorent ce que c'est; bien plus, ils ne sont généralement pas conscients que cela existe. Pas plus conscients à ce sujet que des chats. Ils ne savent pas, ils ne voient rien, mais en fait ils donnent tout pour ce qu'il y a là qui les tient rigidement.

Qu'est-ce que c'est donc? Il n'y a pas de réponse à cette question. On ne peut qu'observer l'obsession dont cette réalité qui ne se montre jamais est cause chez les créateurs; observer cette obsession, mais peut-être surtout leur gravité. Tous les sentiments témoignent de leur propre cause. La gravité n'échappe pas à cette règle. La gravité dans l'acte d'art est particulièrement insolite. Rien d'objectif ne semble la provoquer. Comme tout sentiment vrai, elle est pourtant irrécusable. Il faut mesurer la singularité du phénomène souverain et donc probant qu'est cette gravité-là. Elle exige explication. Or aucune ne peut s'offrir.

Les vrais artistes sont si fortement fixés sur ce qu'ils savent sans le voir et sans même être conscients de le savoir, ils sont si intimement persuadés de ce qu'il y a devant l'œil de leur divination (sans l'être le moins du monde intellectuellement), que, encore une fois, certains défendraient de leur vie l'énigmatique domaine qui, pour ne point exister du tout, leur demande pourtant l'effort d'une existence entière! C'est beaucoup, n'est-ce pas? pour peindre une bouteille, deux ou trois pommes et un compotier indifférents sur un petit rectangle de toile. Il est impossible qu'une activité si ordinaire requière tant d'un être humain sans que la raison profonde en soit immense. Si Pascal n'a pas discerné cela, c'est qu'il n'a pas examiné son sujet. De la peinture, il tirait argument pour démontrer la vanité des choses, alors qu'il aurait dû y voir un des exemples de ce qu'il y a de plus spirituel au monde.

Pascal égare ici parce qu'il a trop raisonné. Semblablement, il aurait bien voulu voir et faire voir par une méthode logique la façon et les raisons de s'orienter vers Dieu, parce qu'il avait une intelligence impériale avec laquelle il espérait pouvoir conduire lucidement les gens vers les marches du savoir sans nom. Mais c'est son exemple et c'est son illumination qui valent à cet égard, non pas ses échafaudages. C'est sa foi, en somme, analogue à celle de l'artiste. Il n'y a que la foi. Rien de plus. Rien d'autre. Ce qui déborde à ce propos l'acte de foi s'appelle s'évertuer.

Des siècles de raisonnements n'ont guère eu d'autre valeur apologétique que de maintenir le discours et de retenir l'attention par un moyen extérieur. Il faut échapper à cette linéarité sans fin. Le fatras philosophique a eu un successeur très légitime, qui est le nihilisme moderne, singulièrement agressif, et vide jusque dans son fond. Il met un bloc de néant au lieu et place de l'inconnu qui atteste quelque chose par-delà ignorance et savoir et dont l'artiste possède un sens obstiné et tragique. On a mis un bouchon de néant justement là où, fort indépendamment de nous, se manifeste ce que nous ne savons pas. L'artiste sait qu'il est l'acteur d'un drame, non le témoin d'une indifférence. Il ne peut l'oublier puisqu'il joue tout sur cette mise. Il n'a pas envie de rigoler. Et nier quoi? Il n'a aucune envie de nier quoi que ce soit et l'idée ne lui en vient même pas. Il a affaire à quelque chose et il n'a pas le temps de se demander si cela ne devrait pas être mis en doute. C'est à ses yeux une question sans but puisque l'objet inconnu précisément le comble ou le détruit. Le créateur ne s'inquiète pas de l'existence de ce qui chaque jour le captive ou l'éprouve. Il travaille étrangement un morceau de bois. Voilà tout ce qui le sollicite. Cela prend tout son temps et son esprit. Le créateur est libre mais il ne l'est pas. Tout grand artiste sait qu'il est comme un fou tourmenté et il sait d'une égale conviction qu'il n'est pas fou. Il sent qu'il est voué, mais à quoi, il ne saurait le dire. Il ne se le demande pas puisque réponse lui est donnée à chaque instant, une réponse informulable mais dont il ne peut douter puisqu'elle le domine. Ce qui le travaille et le fait travailler, c'est le contraire du doute. Le contraire, non pas seulement l'absence. Tel est le peintre ou le sculpteur. La sûreté de son acte et le caractère obtus de sa certitude sont ensemble analogues à ce qu'on remarque chez l'animal, dont tout acte s'avère aussi intellectuellement obscur qu'entièrement juste et correctement motivé. Donnez-moi autre chose que la philosophie. Ne me donnez pas pour autant n'importe quoi, comme dans la ruine de la culture. Accordez-moi au contraire de savoir d'un désir suffisamment grand ce que je sais sans le voir. La dernière chose à nier, c'est ce qu'il est impossible de voir. La discussion est une activité inférieure.

15
La culture compliquée du désir

Fais-je ici l'apologie de l'inaccessible? Cela se pourrait bien. Curieux, à une époque où l'on ne cherche qu'à tout mettre à portée du désir et de la main. On veut tout prendre et tout de suite. C'est le plaisir qui veut cela, ce n'est pas l'amour. Le premier est pressé, il dévore. Mais il tue. De temps à autre, il fait vomir. L'argent, la luxure, la futilité, la consommation. Je n'ai pas l'intention de poursuivre cette description fastidieuse; elle se fait d'elle-même sans arrêt et nous arrive à tout moment dans la figure. Je n'en dirai pas beaucoup davantage, bien qu'il s'agisse là d'un état de chose dont peu s'avisent. De temps à autre, on se suicide. Tout le monde se demande pourquoi. On regarde au plafond, où sont les mouches. Mais je n'ai pas le courage de ridiculiser l'université qui, sur des sujets comme celui-là, est un des lieux où l'on observe les mouches avec une attention profonde. Aussi bien sur la côte Ouest qu'à Boston, à Montréal ou à Paris. Ni le lieu ni la renommée ne font une si grande différence en ce qui touche la considération méthodique des mouches et l'immense champ d'étude offert par ces dernières. Je ne voudrais pour rien au monde m'approcher de ce triomphe de l'intelligence. J'ai l'impression qu'il éteint l'œil. J'ai par ailleurs le sentiment qu'à l'université on a toujours le dernier mot mais le dernier... Cependant beaucoup se suicident lentement ou d'un coup tout alentour, ce qui n'est pas bien grave statistiquement, surtout en ce qui concerne la jeunesse, car dans les lettres on peut toujours la considérer comme la fleur du néant et en parler comme il convient dans les salles de dissection spécialisée des textes.

Laissons cela qui n'apprendrait rien à personne sinon l'évidence et ce serait naturellement déjà beaucoup mais ce boulot hygiénique ne m'attire pas particulièrement. La société présente est comme elle est et chacun n'a qu'à s'en rendre compte, ce qui se révèle apparemment très difficile. J'ai choqué bien des gens en émettant l'idée qu'elle n'est pas principalement ceci ou cela mais qu'elle est surtout horrible. Voilà ce qui s'entend le moins, à ce qu'il semble. On m'a dit, à mon sens assez plaisamment, que je ne savais pas mon Amérique. J'ai répondu qu'à mon avis je la savais mieux que ces critiques, tout simplement parce que je l'éprouvais avec violence et que cela forcément m'enseignait vigoureusement. Je ne les ai pas convaincus. Ils sont comme ça. Laissons cela. Car, quoi qu'il en soit de cette belle civilisation, je la subis et ce n'est pas de son côté que je regarde mais à l'opposé précisément. Je n'ai aucune raison de revenir pesamment comme un sociologue sur la description du phénomène socio-culturel actuel. Le trop décrire en en indiquant les nuances, les contradictions, la complexité, c'est le relativiser et bientôt pratiquement l'annuler et ne plus le voir, comme dans les universités, ou cesser de le comprendre, par dispersion je pense bien, ou bien par patience excessive.

Coupons au plus court. Comment se dégager de cette société-là, comment s'en délivrer, comment la contredire, comment la mettre exactement sens dessus dessous? *En lui opposant l'inaccessible.* Ce seul mot dirait immensément. Le goût, la perspective, le regret, le désir,

le culte et la culture de l'inaccessible. Toute vulgarité
morte.

La vulgarité, sous ce rapport, consiste à croire qu'il
faut multiplier le nombre d'objets accessibles et assurer
davantage leur accessibilité. On imagine alors que le
bonheur résulte d'un accord entre tout désir et la possibilité
prochaine de le satisfaire. C'est une conception complètement fausse, il va de soi, mais c'est la principale idée
morale de notre époque et celle qui fait haleter le monde
moderne depuis la guerre. Suivant une opinion vulgaire
et plus ou moins généralisée aujourd'hui, il s'agit de centrer
le désir sur ce que celui-ci peut effectivement atteindre
et, dans ce but, remplir tout l'espace possible d'objets
qu'on puisse toucher, prendre, s'approprier, louer,
consommer, posséder d'une manière ou d'une autre. Je
ne parle pas ici seulement de biens extérieurs. L'époque
demande à tout ouvrir, par la suppression des obstacles,
par la licence, devant l'homme se tournant vers tout ce
qu'il peut vouloir. À cette fin elle court-circuite l'ordre
nécessaire des choses, elle fait allégrement sauter des
étapes, des contraintes, des lois de nature; par conséquent,
elle s'attaque à nombre de buts mêmes, quelquefois les
plus précieux, les plus rares, désormais impossibles à
atteindre à cause des raccourcis qu'on aura pris. Il y
aurait bien des exemples. Dans le domaine de l'éducation,
entre autres. L'enfance est amenée à passer par les brèches
béantes de la Difficulté réduite au minimum. Cela se
continue dans la jeunesse: la difficulté d'apprendre est
contournée par des choix capricieux de sujets et de pro-
grammes, par la diminution des exigences et, de toute
façon, par la facilité universelle que la société prenant la
place de l'école proclame implicitement devoir être désormais le climat et la réalité de la vie. Tout cela s'accompagne d'ailleurs d'un hédonisme de fond de cour
devenu plus ou moins l'exemple des mœurs dans cette
société folle. Il est clair que pareil régime met hors de

question la poursuite de buts supposant au contraire l'effort, le recul, la conscience, le travail, la profondeur de l'intention, l'étagement des choix, le sens du suprême, l'attente, la méditation.

On croit qu'on a ramené la culture sur la terre, depuis un angélisme où, dit-on, elle était allée se perdre. C'est là une pensée d'inculte, de dangereux inculte. Admettons qu'il ne s'agisse pas des anges. Je n'éprouve pas de peine à me placer à un point de vue profane, n'étant pas un spécialiste de cette population ailée et étant moi-même plus robustement terrestre que les gens ne le croient généralement. Je fais d'ailleurs la part de la révolution bien nécessaire qui opposa son fait au détournement pseudo-religieux qui s'exerçait au Québec vers 1950. Je l'admets mille fois: il fallait de toute nécessité stopper cette entreprise d'égarement de l'esprit, qui résultait de la morbidité janséniste. Celle-ci épuisait l'énergie spirituelle dans une maladie collective, mais une maladie de l'âme (et non pas seulement du corps, ce qu'il faut préciser puisque c'est de lui qu'on parle immanquablement quand on se plaint de ces années-là). Je fus un témoin de cette époque, et plus ou moins amoché un temps pour ma part. Je n'ai pas écrit *La ligne du risque* pour rien. Cependant je dis que ce que nous voyons aujourd'hui ne constitue pas à proprement parler le contraire de ce qui existait dans ce temps-là: *c'est la même chose, à l'envers*! L'inculture insolente et ruineuse que je dénonce maintenant équivaut à une trahison de la terre tout aussi bien, en particulier une trahison de l'amour terrestre. Cette inculture n'est pas dirigée contre le ciel seulement, comme on le croit. De son côté, le jansénisme de 1950 trahissait lui aussi le ciel et la terre à la fois. Par conséquent, le ciel. Non pas la terre uniquement. Or, l'inculture de masse actuelle, venue de loin, trahit la terre et le ciel en même temps, mais sur un mode inversé. Donc, la terre. Tout cela peut légèrement surprendre.

La simplification aussi complète que possible des rapports entre les désirs et leur satisfaction, ayant réduit à rien l'écart entre ceux-là et celle-ci, a mis fin en particulier à la culture compliquée du désir, de quoi relève en grande partie l'amour. Si l'on n'interpose plus rien entre le désir et ce qu'il poursuit, ne serait-ce que l'attente, alors il y a bien des chances que le premier ne parvienne même pas à prendre forme — ou bien qu'il s'éparpille et se disperse en désirs inférieurs ne visant plus cet objet mais seulement des ersatz. Poussez encore un peu cette dégradation et alors non seulement aurez-vous disqualifié l'amour, c'est-à-dire le plus grand désir, au profit de plus petits, mais ceux-ci, qui l'auront remplacé en lui interdisant par là même le retour, disparaîtront peut-être à leur tour à cause de leur faiblesse, faute d'être soutenus par l'âme. C'est le syndrome du dégoût. Il y a une certaine mort à l'œuvre dans cet état de civilisation.

Je ne veux pas continuer dans ce discours. Je ne vous écris pas un traité. Changeons de sujet sans quitter celui-ci. Je veux vous montrer combien, lorsque je vous vois, je regarde parfois une pierre de touche de l'absolu. Vous me prêtez votre exemple dans cette longue discussion qui, au fond, est nécessitée par l'époque actuelle, une époque basse; vous me le prêtez pour me permettre d'affirmer avec la force de l'expérience le contraire de ce que l'époque soutient absurdement. Je ne fais pas une théorie de l'amour. Seulement je sais où il se trouve. Mais de le savoir et de l'exprimer fait peut-être une théorie de la stupidité de ceux qui marchent avec l'époque, sous ces rapports. Celle-ci empêche le retour, le refus. (Comme une mécanique, elle ne sait qu'aller devant. Ses révolutions aussi sont persistance dans le même.) Le retour, le refus, le sourire. L'arrêt. L'intelligence de l'âme. Notre temps ne s'en soucie guère. J'entends qu'il ne s'en soucie pas au point de se quitter lui-même une seule seconde et de tourner le dos, pouvoir que les temps semblent avoir oublié. Le retrait. Les religieux disaient: retraite.

Le mot peut-être le plus tendre et le plus chargé de sens (je ne dis pas: le plus troublant) qu'un homme puisse dire à une femme, c'est qu'il pense à elle. Toujours cette idée du regard tourné vers le dedans, où se trouve la lampe qui brûle énigmatiquement devant une figure. Si vous n'êtes pas tout entière dans mon âme, où prétendez-vous être valablement pour moi? Nulle part ailleurs, sûrement. Vous êtes là où je pense à vous, c'est-à-dire en moi, enclose là prodigieusement. À cet endroit où vous n'êtes pas, je vous regarde inlassablement. Ce n'est pas seulement physique, loin de là, mais c'est physique aussi, beaucoup: votre forme, qui est un adorable tout, est votre présence ici très vive.

Quand j'écris «tout entière», je n'entends pas user d'une métaphore, car il s'agit bien du fait que ce que je trouve en moi, de vous, ce n'est pas une vague émanation de votre personne mais au contraire tout ce que vous êtes, et cependant (voici l'étonnante chimère réelle), sublimée bien que complète. La différence de vos deux moi semblables, dont l'un reste extérieur, c'est que celui qui l'a quitté pour se retrouver en moi est comme votre infini. Vous êtes maintenant deux images distinctes et je garde en moi l'une d'elles, la plus parfaite.

Il n'y a de beau que l'indéchiffrable. L'indéchiffrable est la physionomie de l'immuable. Vous ne verrez rien, je ne dis pas paraître, mais apparaître, si ce n'est dans l'objective indifférence d'un tableau quel qu'il soit: matières travaillées, écrans interposés sur le passage de la lumière, murales séchées et décrépites, écritures problématiques, surfaces évoquant quelque oubli. Rien de ce qu'on voit physiquement ne se livre, mais ce qui ne se peut voir va se refléter sur l'obstacle d'une chose ou d'une conscience qui fait écran.

Ainsi de votre présence élémentaire dans mon cœur. Je me plaisais à l'appeler votre présence réelle. Elle s'imprimait en moi, y prenait poids et consistance délectables, et je la transportais partout. Il n'y a pas d'autre possession. Tout se fait par substitution essentielle. Toute révélation dépend d'une cérémonie. Celle-ci n'est pas le fait de la personne ainsi concernée. Le phénomène se passe nécessairement hors d'elle et, encore une fois, il s'agit de tourner l'opacité des êtres et il n'y a pour cela qu'un moyen, toujours le même bien qu'infiniment divers : l'accident d'une parole ou d'une représentation.

Mais de quelle loi universelle et méconnue s'agit-il là ? Elle ne se laisse guère saisir qu'indirectement, elle qui est la loi des mirages, mirages mal nommés car proprement révélateurs. Comment ceux-ci et la connaissance qui en résulte s'obtiennent-ils ? Cette causalité particulière est difficile à décrire, précisément parce qu'elle fait partie des voies de l'être lui-même, qui sont hermétiques. Mais qu'il s'agisse de la feuille, sur laquelle on pose un dessin, ou qu'il s'agisse des mots, dans lesquels se fixe un récit, ou bien de tout autre support de l'art, toujours on introduit dans le flux indifférencié de l'existence un obstacle insolite qui arrête ce flot et rend perceptibles certaines de ses propriétés autrement impossibles à déceler. C'est ainsi que par l'effet d'une lettre que je vous écris, des profondeurs affleurent, une possession autrement impossible à réaliser s'accomplit. Il faut qu'une sorte d'interception ait lieu par le moyen d'un artifice. Ainsi les rayons lumineux, qui passent parfaitement invisibles tant qu'ils ne rencontrent aucune surface, manifestent leur principe caché dès qu'ils frappent un corps, sur lequel ils éclatent en blancheur, en couleurs. L'amour est comme la lumière et il se peut qu'il soit fait pour la contemplation seule. Celle-ci jaillit du choc d'une âme non pas seulement avec la réalité finie d'une personne aimée, mais ailleurs, avec une représentation de celle-ci, une représentation interposée comme une feuille, dans un autre ordre de causes, étrangères à ce qui est contingent, indépendantes, et qu'on ne connaît pas. Encore ici cette idée de facteur troisième, divulgateur de notre pauvre réel. L'amour va à la rencontre d'un être là où celui-ci est et là où il n'est pas.

16

Les promesses de l'incomparable

L'espérance de Miron annonce plus de malheurs que le scepticisme des penseurs. Singulièrement plus. Et d'une signification bien plus haute. Il ne faut rien prendre au pied de la lettre. Le rôle du poème consiste précisément à rendre impossible la lecture linéaire de quoi que ce soit. Par des techniques appropriées, il insinue dans l'écriture le principe positif d'une inintelligibilité indispensable à l'appréhension illimitée du sens. Prenez n'importe quel poème, jetez sur lui l'éclairage nécessaire, et vous vous apercevrez facilement, que cet écrit, loin d'élucider l'objet qu'il évoque, fait l'inverse: il introduit de l'être non séparé en éléments intelligibles et c'est pour partie cette matière jamais réduite qu'il présente au premier chef à la lecture des mots. Grâce au ciel, faut-il presque dire. Les mots, dans de telles conditions, n'expliquent pas cette matière. Ils la font retentir. Elle ne devient pas intelligible, mais physiquement et spirituellement tangible, seulement. Par le poème, le fond indifférencié arrive au premier plan de la conscience, ce qui ne se produit certes pas au même degré sans l'art, ou sans l'amour. Par-dessus, évidemment, fleurissent aussi des significations moindres et il est d'ailleurs inévitable que le poème en offre de si nombreuses que l'on s'y trompe en croyant qu'il n'est fait que de cela et pour cela.

L'amour partage avec l'art la particularité de ne pouvoir absolument pas comprendre. Comme lui, il connaît, depuis une source plus lointaine et impossible à remonter. Il connaît, à sa façon, mais alors à l'évidence, ce qu'il ne sait pas. Pour l'un et l'autre, cette évidence qu'ils ne peuvent que confesser est irréfutable. Ce que l'amour ne peut ni voir ni démontrer, il l'atteste. Ce qu'il est incapable de montrer ni de voir constitue justement pour lui l'objet d'une certitude parfaite. L'amour n'est pas aveugle en rapport avec ce qui peut être vu (comme les qualités, les défauts) mais seulement avec ce qui est invisible. Mais cette chose sur laquelle il est aveugle au même titre que les tiers, c'est précisément la seule à propos de laquelle il ne peut entretenir le doute le plus minime. La différence, c'est que les tiers n'y trouvent rien. J'ignore ce qu'il y a mais je ne puis en douter: je suis toujours parti vers vous. Toujours plus loin qu'ici; toujours quelque part plus proche de vous sur je ne sais quel chemin. Tout est décidé et je n'ai pas décidé. Il y a de la hâte dans cette décision. Cette hâte dit ce que je ne saurais dire et ce que je ne sais pas.

Elle connaît, à coup sûr. On finit par ne plus se fier qu'à ce type de savoir, qu'on ne distingue nullement mais qui est fort et n'hésite pas, et qui prouve!

Pas seulement l'amour mais l'intelligence même dépend de la reconnaissance de ce qui ne lui est pas accessible.

Le savoir, pour n'être pas borné, suppose l'aveu d'un autre savoir hors de la compétence du premier.

L'intelligence doit agréer ce qu'elle est inapte à comprendre. Elle doit faire le pas d'adorer, sous peine d'être changée en bête.

Rien n'est définissable. L'essentiel vient on ne sait d'où et il est impératif d'aller les yeux bandés à sa rencontre.

La stupidité ne consiste pas tant à ne pas pouvoir comprendre ce qui est intelligible. Elle tient bien davantage au fait d'être fermé à ce qui est inintelligible. Voilà, semble-t-il, le sens que lui donne aussi la Bible quand elle évoque au contraire l'intelligence.

D'après le modèle établi par Bergson pour la morale, on peut parler d'intelligence close et d'intelligence ouverte. L'intelligence ouverte n'entend pas ce vers quoi précisément elle s'ouvre. Mais on peut dire qu'elle est intelligente précisément parce qu'elle reste ainsi entrebâillée. L'autre, limitée à sa stricte fonction, peut se voir accuser d'être morte, comme Valéry essayiste, plus particulièrement à cause de la borne qu'elle marque entre ce qui est du domaine de la photographie intellectuelle la plus exacte et ce qui excède ce domaine. Il n'y a pas de borne.

L'intelligence close, c'est de la photographie, si sophistiquée qu'elle soit. L'intelligence ouverte, c'est de la peinture. La peinture, même figurative, ne peut prétendre qu'elle montre ce qui existe; au vrai, elle peut seulement soutenir fermement que ce qui existe visiblement n'est pas du tout ce qu'elle donne à voir. L'étonnant, la révélation, c'est que le produit de la peinture, contrairement à celui de la photographie, se trouve seul chargé de ce qui est, sans que jamais le peintre ait pu voir cela même ou le puisse, et sans que personne, en contemplant l'œuvre, soit capable pour sa part de l'apercevoir de quelque façon. Le fond de cet art n'est absolument pas visuel.

La photographie n'a rapport qu'au visible (à moins qu'elle ne soit d'art, grâce à un autre travail que celui de l'objectif). La peinture n'a fondamentalement affaire au visible qu'en apparence et seulement au bénéfice de ce que personne ne peut voir. La photographie capte le visible. La peinture, quelle que soit son intention, ne retient du visible qu'un nombre quelconque d'allusions, mais ce qu'elle capte, en exclusivité, c'est ce qu'il n'est au pouvoir de personne de regarder ni de dire. Et cela seul émeut.

Il n'y a pas de dessin indifférent, quel que soit le manque de mérite d'une œuvre. C'est pourquoi les gens sont spontanément si curieux de quelqu'un qui dessine. La photographie, au départ, est dénuée de valeur. Tout trait, au contraire, possède une valeur, initialement et par la suite. Il n'y a pas d'exception à cette loi.

L'importance de l'inconnu inconnaissable est telle que, sans lui présent d'une certaine façon par l'intuition amoureuse ou artistique, *tout* doit être rejeté dans l'indifférence. Ce n'est que par distraction ou insignifiance qu'on garde ou croit garder de l'attention pour cette réalité sans profondeur.

La preuve par neuf de ce que je viens de dire: cet inconnaissable, ainsi présent, communique une valeur exaltante à ce qui par soi seul serait interchangeable et presque nul, par exemple des cheveux, un geste, une démarche, donc presque rien, et parfois même médiocres en tant que cheveux, geste, démarche... Ou, dans la peinture, une tache bleue, on ne sait pas pourquoi, car enfin qu'est-ce que c'est?

Il faudrait expliquer pourquoi ces détails se distinguent alors de tous les autres détails; pourquoi, de la même façon, telle femme, pour tel homme, est seule une cause d'éblouissement. On ne peut pas l'expliquer.

N'importe quel homme peut jusqu'à un certain point décrire l'effet qu'exerce sur lui une femme qu'il aime, mais personne ne peut décrire la cause de cet effet. Il en rendra raison par des réalités constatables dont il faudra pourtant reconnaître qu'elles paraissent tout pour lui mais qu'elles ne sont rien pour les autres. Mais ceci est la plus vieille et la plus courante histoire du monde.

Je ne sais pas. Un certain Ailleurs n'est exprimable que par des images, des mouvements, l'expression d'une panique délicieuse, des bêtises, des enfantillages, un langage lui-même comme une charade. Je vous éprouvais par le creux désirable que votre absence créait dans mon âme. Votre absence faisait une sorte de présence en moi. Rien n'est plus doux que le lien, qui peut être aimé comme la personne même. Le sentiment de l'absence est celui du lien rendu plus sensible et comme isolément.

Du reste, il n'est pas évident que la présence agisse plus précieusement que l'absence et grâce à des propriétés liées à l'immédiateté matérielle ou à la faculté de pouvoir se donner davantage lorsqu'on est proche. Car, dans l'état de présence, l'amour cherche encore des expressions qui soulignent une distance ineffable. Il cherche même à rétablir cette distance... Les mots ravis et imagés qu'emploie l'amour pour parler de ce qui l'intéresse, loin de servir seulement à mettre davantage à portée ce qui l'est déjà, paraissent au contraire donner un autre rendez-vous que celui qui présentement se réalise; et celui-là aurait lieu dans un monde dont il ne saurait être question nommément. D'ailleurs on ne se rend pas compte de cette invitation curieusement hors de propos dans l'occasion: tout a l'air de vouloir dire le bonheur de l'amour rendu possible par la proximité des personnes, tout se coule dans l'idée trop simple que l'on se fait alors, chacun se croyant complètement actualisé par la seule circonstance de la rencontre, une circonstance certes heureuse. Une telle idée ne distingue pas ce qui, en pareil cas, dans les paroles par exemple, passe absolument l'intention de possession mais pour promettre efficacement l'incomparable.

Quand je vous décrivais vos yeux dans la glace où ils se miraient pour la petite étude qui accompagne les préparatifs d'une sortie, je le faisais avec des mots qui dégageaient particulièrement certains traits, le dessin d'une paupière profonde, l'eau de l'iris, gris mêlé de vert et d'un peu d'or. Ce discours traversé d'émerveillement mettait entre nous des faits impossibles à réduire à une évidence simple et palpable. Il amenait dans notre espace le lieu d'un autre espace. Ce n'était plus l'objet lui-même, votre œil admirable ainsi commenté, et c'était encore lui. Je le vantais en plusieurs phrases faisant chacune varier son aspect et décrivant sa belle architecture d'après seulement les traits qui sur l'instant m'émouvaient. Apparaissaient alors nécessairement d'autres yeux — et les mêmes — en mots comparables à des traits de pinceau différents du modèle. Qu'était-ce alors, cette forme, qui à tout moment changeait à cause de ce que j'en disais de nouveau? (Déjà la seule altérité des mots et leur différence par rapport au réel posent de la nouveauté sur les choses, les fait neuves à tout instant comme un commencement.) C'était vous-même tirant de cette expression autonome l'essentielle étrangeté de la beauté.

Les mots ne se déduisent pas de l'objet tel qu'on l'aperçoit et ils ne le décrivent pas tel qu'il est; ils font surgir de nulle part la déformation par laquelle il se dit. Je vous parlais indéfiniment de vous-même. Nous étions cette fois-là en vacances et j'en avais le loisir, comme vous aviez celui de me parler aussi. Je repasse dans mon esprit ce que nous disions l'un et l'autre. Je me rappelle surtout non mes paroles mais ce dont je prenais prétexte pour vous parler de vous: votre élégance et encore une fois ces yeux sans vanité qui ne se laissaient admirer que parce qu'ils se laissaient aimer. Je n'en avais jamais terminé puisqu'il s'agissait et à la fois ne s'agissait pas de ces points de fixation du langage amoureux. L'attente de vos yeux pendant que je vous parlais d'eux, leur immobilité qui était disponibilité à l'hommage ou effet de l'attention à écouter le mot à mot de leur célébration, faisaient elles-mêmes une autre image que je vous disais aussi. Il en allait de celle-ci comme si une pellicule autre s'était glissée devant l'écran et avait fait apparaître de vous une autre lumière. Vous deveniez ainsi, en représentation vivante, une de ces fictions dont l'art est familier et qui ont pour propriété de déplacer le regard vers l'intériorité en le déplaçant illégitimement vers elles. Vous offriez alors à cette fin un double de vous-même, un de ces doubles authentiques et différents sans lesquels l'original simple de chaque être ne présente à l'amour qu'une signification réduite. Surgisse une de ces projections imprévues, alors enfin le masque qui apparaît par elle dit un peu ce que tait et retient le visage objectif. Se surimprimaient des choses inconnues de vous, inconnues de moi, sur vos yeux, dans le miroir, à la condition qu'ils soient décrits par des mots empruntés à des significations indépendantes du donné singulier de la réalité visible. C'était là la révélation qu'opère chaque fois l'amour en excitant le langage métaphorique. D'ailleurs, aucun mot ne pouvant exprimer le réel tel qu'il est et tout mot au contraire dessinant une forme distincte et différente de l'objet, le langage est au premier chef une suite de métaphores et d'écarts par rapport à la réalité; d'où naît une réalité plus jeune, produite par l'esprit et dont l'esprit vivant s'émeut. Celui-ci est peut-être l'amoureux même, au reste. On ne peut discerner comment tout cela surgit, agit, et encore moins comment cela joue en faveur d'un amour particulier pour une personne concrète. Toujours est-il que le fait de vous dire comme un poème, c'est-à-dire avec des comparaisons admirables, fixait à tout moment votre regard et le mien sur ces prestigieux succédanés, images indirectes de ce qui est tellement dissimulé de vous à vos yeux mêmes comme aux miens et le sera toujours.

De vos yeux, il y a ce qui en eux ne regarde pas mais rêve. Leur beauté n'en est que plus frappante. Ouverts alors, ils sont fermés; fermés, ils sont ouverts sous une taie quasi fictive et se laissent contempler dans cet état trompeur et double, comme un seul fait: ouvert et fermé, sous cet aspect, sont exactement la même chose. Regard et non-regard simultanés et confondus, comme je vous disais au même instant. Je persistais à les ouvrir, semble-t-il comme il ne leur était jamais arrivé de s'agrandir autant: ils s'ouvraient sur ce que vous entendiez... Ils en prenaient une expression si différente aussi! Comme ils accédaient à cet état éloigné de l'ordinaire, je me rendais compte qu'à partir de cette métamorphose opérée par un effet de spiritualisation ou de bonheur, moi-même j'étais changé et j'aurais alors été capable, pensais-je, de poser mon attention sur vous sans plus jamais la retirer, — sur votre visage, sur les pensées de vos yeux.

L'attention de l'esprit aimant ne finit pas, elle se soutient sans fatigue. Tout cesse alors d'être éphémère; je parvenais à un état qui essentiellement durait et ne se concevait que dans une durée indéfinie.

En vous parlant de votre grâce physique, pour la représenter je suggérais de la main une ligne qui aussitôt devenait rare et précieuse. Je traçais à cette fin dans l'espace un motif à peine matériel vers lequel l'émotion se portait librement. Un plaisir esthétique de ma part s'attachait à cette ligne. C'est à vous que ce plaisir était destiné et il prenait une qualité exceptionnelle du fait de ce détour par un signe de la beauté en cause.

Je multipliais ainsi les simulacres, seule expression possible du fond qui reste toujours celé. Ainsi je prenais un crayon et faisais de vous des croquis (malheureusement assez académiques, mais ceci n'importait pas) afin de déposer entre vous et moi ces objets mêmes, sorte de gages actifs et sybillins. Ils constituaient une touche de ce qui entre nous est sensible à jamais. Ils jouaient le rôle de révélateurs de plaisir, plus particulièrement impressionnables comme le serait un appareil extrêmement évolué.

Paroles, artifices charmants, dessins, repas partagés, humour, tout pouvait être reflet. Tout servait ainsi de signalisateur de l'impénétrable réalité des causes de la joie. Mais nous ne raisonnions pas et ce qu'il y avait de plus absent entre nous, c'était sans doute la spéculation intellectuelle. Nous n'étions guère conscients que du plaisir de vivre. Nous en avions l'art, un art facile. Vu mon état d'écrivain, vous me prêtiez, en riant, de «graves pensées» qui n'existaient pas, leur place étant toujours tenue par des idées vécues qui nous venaient toutes seules. Mais je veux vous parler aussi de votre bonheur, qui est quelque chose de si extraordinaire qu'il faut que je m'y arrête.

Je n'ai jamais rien vu de pareil. Il est comme celui d'une enfant: aussi entier et, pour la personne qui l'éprouve, aussi parfaitement à l'abri de ses autres idées. Il est comme le bonheur écrit d'une musique, entièrement ce qu'il est. Il ressemble précisément à ce qui est écrit, ou peint, ou vu, ou dit, ou dansé. Parfois, devant ce bonheur qui lorsqu'il règne n'a curieusement pas d'ombre, je me rends compte qu'il fuse en effet si librement qu'il prend à l'égard de la joie de l'univers une distance comme s'il était l'exemple de cette joie, le type pur de celle-ci, détaché d'elle, comme s'il la reproduisait. Comme s'il en était une preuve extérieure. Ou plutôt la déclaration par le fait.

Mais cette description doit vous surprendre, puisque vous ne vous observez pas, et je suis sûr qu'elle vous paraît gratuite puisque vous ignorez jusqu'où va votre originalité sous le rapport de la clarté des sentiments. Je devais par conséquent vous détromper sur vous-même. J'y prenais plaisir, en vous offrant un développement inattendu, décrivant comme je le fais votre bonheur. C'était vous présenter une variante additionnelle de ce que vous êtes, vous faire éprouver mieux ainsi la tranche de l'être. Je dirigeais une fois de plus notre attention sur quelque chose d'à part, en ce cas un discours neuf sur vos dispositions heureuses. Je n'avais qu'à vous parler de celles-ci. Je le faisais comme un artiste, c'est-à-dire avec une vérité sans défaut. Vous y preniez plus que de l'intérêt. Nous gagnions momentanément nos mises sur cette table quasi fortuite. Le bonheur avait aussi lieu là. Sans une ombre, comme le vôtre.

17

La mort contestée

À partir d'ici, je vais vous exprimer des choses moins familières encore et dans lesquelles vous ne saurez peut-être plus vous retrouver vous-même ni me retrouver moi.

Par tous ces rapports que j'avais avec vous, je m'étais mis en relation émotive et de pensée avec ce qui, en vous, n'est pas vous seulement mais l'Existence, ou la seule Cause du Besoin. Vers cette limite, toutefois, je ne puis plus rien préciser mais seulement dire. Là, il n'y a plus de réponses et c'est le Fait qui prend le relais. Il ne parle pas en mots mais par une évidence. J'arrivais là en présence de quelque chose que j'ai appelé l'Indéniable. Devant Cela je pourrais mourir et il me semble que ce ne serait pas mourir.

Cette dernière idée est peut-être au cœur d'une réalité inouïe. Il y là ce que je ne sais trop comment traduire, dont il faut pourtant que je vous fasse mention et qui occupe souvent une place centrale dans la conscience que j'ai de vous. La pensée de la mort cessait pour moi un moment d'être odieuse quand j'accédais à un certain niveau de rapports avec votre être. Je me reposais dans cette quiétude exceptionnelle. Ce n'est pas que je ne pensais plus à la mort, mais celle-ci n'avait plus de pertinence. Je la dépassais par le haut. Elle n'avait peut-être plus de vérité; il me semblait qu'elle n'en avait plus, qu'elle pouvait n'en avoir pas.

Mais ce qui est sûr, c'est qu'en moi je rencontrais par vous, de vous, au moins le sentiment d'une existence inaltérable et j'en captais en passant le message, du reste indécodable. Il avait l'assurance interne d'un chant — toujours cette assurance interne admirable qui semble lier intimement l'existence à l'existence. Je n'allais pas mourir, ou si j'allais le faire tandis que je pensais à vous, ce serait une fausse mort, une traversée rituelle. De plain-pied avec votre être, je ne saurais sentir fléchir le mien. En tout cas, mon émotion, en l'espèce, se résumerait également comme suit: j'éprouvais un bonheur différent de tout autre en ceci qu'il était ressenti comme l'attribut de quelque chose de parfaitement durable. La fameuse condition humaine ne se retrouvait pas à cet égard dans l'espace d'exception qui nous environnait alors. Je ne pensais plus à la mort, ou plutôt j'y pensais encore mais je ne la craignais plus puisqu'elle aurait lieu pour moi dans un état qui d'une certaine manière me rendait in-vulnérable. Une jointure s'était faite avec un autre principe que celui de notre vie précaire. Je ne vous décris pas ici une aventure extraordinaire. Tout bonnement je crois que je vivais au sein d'une nécessité qui n'existe pas dans le cours médiocre des choses mais que tout le monde peut connaître quelque part, un jour, une heure, dans le bonheur d'aimer. Je pourrais vraisemblablement m'endormir dans une mort dont je me dirais qu'elle n'a pas lieu réellement là où nous sommes unis ni n'a le moindre effet sur notre insolite et toute petite expérience d'éternité. Je sais bien en tout cas que ce sentiment, difficile à garder dans la conscience et que je contemplais, restait fragile certes mais suffisant pour entretenir en moi, par sa nature contraire à celle de la chute des choses, l'idée d'un destin soutenu.

Je ne discutais d'ailleurs cette idée avec personne et beaucoup la trouveraient gratuite. J'admire le scepticisme stoïque pour sa vertu, mais son extrême probité ne le rend pourtant garant ni de la vérité de ce qu'il propose en fait de pensées, ni de la justesse de ce qu'il recommande comme attitude. C'est ce que j'aurais à dire à Cioran. Je me trouvais bien plus proche, il me semble, de l'inexpliqué, que j'excluais en moindres quantités que ne le font les sceptiques pour leur part, même en tant qu'inexpliqué. Car c'est un fait qu'ils ont tendance à se fermer à une part des interrogations possibles, celle à propos de laquelle ils estiment qu'il y a lieu de renoncer à escompter quelque réponse que ce soit.

Je ne discutais pas l'idée de la promesse implicite qu'il y a dans l'être. Je laissais plutôt l'expérience que j'en faisais me toucher et je ne cessais d'interroger celle-ci. Je tâchais d'en saisir intuitivement le sens. Du reste, elle me comblait. Ceci était bien suffisant. Par un tact qui est en effet pur toucher d'un objet et qui de soi n'appelle donc pas la discussion, je me donnais chaque fois la «preuve» d'une existence défiant la précarité à laquelle nous sommes censés condamnés. Cette «preuve» et l'intuition que j'en avais étaient bien douces, bien naturelles, d'ailleurs, puisque c'est de vous qu'il s'agissait et puisque je ne pouvais conséquemment rien ressentir et rien contempler de ce bonheur quasi métaphysique sans que ce fût à propos de quelque chose de plus prochainement désirable, dont vous étiez cause et vers quoi j'inclinais comme dans un monde intimement réconcilié. Un certain bonheur, d'une certaine rareté, d'une certaine essence, transcende. Il ne répond qu'à un seul nom toujours imprécisé. Il est presque impossible d'espérer directement ce que ce nom désigne. Mais je ramenais plus à portée ce bonheur et ce qui l'inspirait. Je le mariais à notre relation tout humaine; j'en faisais un sujet dont je pourrais vous parler parmi les autres expressions dont l'amour s'enchante en se transposant en elles différemment à chaque instant. J'en revenais toujours à vous à travers ces exemples d'un autre ordre. L'amour aime les paroles qui le reportent sur un autre plan, dans la métaphore, dans «l'idéal» comme il dit naïvement. Il y a sans doute pour cela une raison qui montrerait qu'il vise alors non pas de l'irréalité, mais le contraire assurément: la communication avec une existence si profonde qu'elle ne se laisse jamais voir comme un objet qu'on pourrait capter, décrire ou consommer, et le fait est qu'on ne le peut.

Par quelle cause un être devient-il ainsi le lieu de l'être même? Il le devient, à n'en pas douter. Et pourtant, tout ce que je vois de ce côté se présente sous des signes si ordinaires de plaisir, de facilité, et sous une forme si visible, si changeante, qui est vous, et je m'arrête aux «vanités» de votre sourire, de votre timbre de voix, premièrement, croirais-je! Car l'amour va vers ce qui est à peine quelque chose. Et cependant! Il y a là devant moi le bien très sûr que vous êtes, malgré vous, malgré moi, en un lieu qui ne concerne même plus l'avenir..

Pourquoi vous? Pourquoi est-ce seulement de votre part que je subis l'étrange pouvoir qui fait qu'un être, n'importe lequel, fait qu'un autre être, n'importe lequel aussi, devient incapable de se séparer du premier, souffre s'il s'en écarte, comme s'il y avait, à un certain niveau (auquel on n'atteint que par surprise et déraison), soudure, force inconnue, loi redoutable? Celles-ci appartiennent à un règne différent et n'ayant d'empire que sur l'être en effet. Pourquoi cette jonction, qu'on croirait tout à coup opérée par une force étonnante, imprévue? Celle-ci n'avait pas cours. Que se passe-t-il? Qu'est-ce que cette «loi» ne paraissant agir que par un détour absurde, — et envers une personne singulière, — et à la faveur d'une sorte de prodige? Le caractère fondamental qu'on voit bien qu'elle possède jure avec la rareté et le caractère extraordinairement capricieux de son application. Est-ce une loi, puisqu'elle se manifeste au hasard? Est-elle si fondamentale puisque la généralité qu'elle devrait avoir alors ne l'empêche pas de ne s'exercer qu'exceptionnellement? Cette loi des fous est la règle toute brisée qui gouverne l'accès à un ordre inouï, porte de la joie, porte du malheur, mais vrais, de sorte que ce n'est pas là le royaume de la folie mais ce qui existe de plus opposé à celle-ci, malgré la réputation des amoureux.

Dois-je poursuivre? On est ici trop au-dessus de l'univers visible. L'être jubilant à cause de l'être, souffrant à cause de lui. Le reste n'ayant plus la moindre importance, dans certains cas extrêmes: pas même la vie. Tout est déjoué. On ne peut plus rejoindre cela descriptivement.

«Après une aussi longue séparation, si vous êtes avec moi, (...), ah, qui sera capable de nous dissoudre? Je ne veux plus une réunion telle

«Que ce ne soit plus le temps qui la fasse cesser, mais elle qui soit capable de faire cesser le temps.» (Claudel)

Des heures, pour l'amoureux, dans la pensée de son amour. Il a fermé les yeux. Il aime. Immobile. Toute l'apparence extérieure du sommeil. C'est tout. Il ignore ce que c'est, ne pouvant le décrire, l'expliquer. Lieux inaccessibles aux exercices analytiques. Il relie cet état, dans l'univers objectif, à une cause néanmoins visible, extérieurement sensible: votre beauté, votre voix mélodieuse. Il ne sait comment: votre beauté, votre voix, étonnent directement son amour. Elles l'émeuvent à tout coup. Mais ceci n'est que la surface du secret.

L'être se mettant à dépendre étroitement de l'être. On n'est plus ici dans l'anecdotique. On est entré sans le savoir dans un rêve, le contraire d'un rêve. Qu'y a-t-il, dans les fondements de tout, pour que l'être, là, se colle à l'être, se rive à lui, comme sous la nécessité la plus rigide? Qu'est-ce que l'être pour l'être? Quel est cet amour, dans quel monde? Que se passe-t-il, pour l'être, de si dramatique? On ne se trouve plus dans une condition mondaine, sociale, de sympathie, d'intelligence, de convention, de jeu. L'être est notre bête spirituelle en rut.

Le baiser avec l'être, dans l'amour. Ce qu'on ne saurait prendre ni consommer est cela même et cela seul qui nous retient absolument. Le corps n'est rien, en comparaison. Il est au commencement, c'est tout, bien qu'il demeure chaque jour pour ainsi dire à l'origine. Vous m'avez provoqué par un geste, par un rien, et j'en ai été frappé d'une stupeur pareille à une angoisse étoilée. Puis j'ai gardé de cette surprise le pli de l'étonnement pour tout ce qui est vous. Les êtres se cherchent dans l'être avec une force que la conscience ordinaire ne soupçonne pas. Si par miracle il y a Rencontre, alors l'être adhère à l'être comme s'il y allait de tout pour lui, ou comme si, dans un incroyable bonheur, il touchait, dans cet autre être, l'autre membre de la réponse par laquelle il apprendrait directement ce qu'on appelle l'éternité. Un individu seul ne le peut guère, mais deux personnes se rejoignant ont la propriété de s'attester mutuellement une troisième chose, qui est qu'il semble qu'on ne meure pas.

Ces mystères ne se laissent pas considérer par l'intelligence directe. Cependant l'émotion, qui réagit à tout ce qui intéresse ces choses, en sait plus long. J'aurais voulu que vous soyez ici, certains jours, car il me semblait urgent de vous dire qu'il y avait entre nous quelque chose qui nous établissait victorieusement dans l'être. Je désirais vous apprendre — s'il est possible de communiquer pareil savoir articulé — que deux êtres aimantés qui finissent par se toucher par l'âme non seulement ne veulent plus qu'on les sépare et tiennent l'un à l'autre par une force dont il n'y a pas d'exemple, mais que tous deux, de quelconques qu'ils étaient, accèdent alors *respectivement* à l'Être comme s'ils le regagnaient, contre la mort précisément. J'éprouvais le besoin de vous dire combien j'étais changé à cet égard. Combien je ressentais là une paix supérieure! Prévaloir contre la mort. L'essentiel du secret est sans doute là. Deux êtres se reflétant l'un à l'autre l'éternité, mais on ne sait comment. Qu'importe qu'on l'ignore puisqu'on ignore tout? Je faisais l'expérience de la violence de l'être et c'était envers vous. Je souhaitais vous voir entendre ceci: que, dans cette pensée pleine, je pourrais mourir sans drame, comme je me le disais. Mon bonheur était d'ailleurs. Là il était presque à l'abri. Pour qu'il le soit mieux, je pensais qu'il fallait que vous sachiez le rôle que vous aviez à ces égards, et que je sache que vous en aviez conscience. Vous-même entendriez mieux le message que contenaient mes attentions. J'avais ainsi besoin de vous. Si vous vous pénétriez de cela, vous assureriez plus sûrement auprès de moi votre présence absolue, qui ne dépendait ni de la distance ni de la proximité mais cependant de votre consentement signifié, lequel m'était nécessaire pour mieux reconnaître en vous le recours exceptionnel que vous étiez pour moi. Il me fallait pour cela une confirmation de votre part, c'est-à-dire l'assurance que vous vous trouviez tout inclinée vers moi comme je l'étais vers vous, car de cette assurance dépendait pour moi la possibilité de mieux voir paraître, en transparence à travers votre image, l'étonnante présence de l'être qui ne doit pas finir. J'avais besoin que vous sachiez ce que je percevais par-dessus émotions et bonheurs ordinaires d'un sentiment comme l'amour et par lui; c'était comme je l'ai dit une garantie irrationnelle de pérennité, acquise non par philosophie ni par supposition mais plutôt par le message que l'être ayant accédé à un certain état donnerait à son propre sujet. Il ne s'agissait pas d'une éternité que l'amour humain conférerait mais seulement d'un indice aperçu grâce à lui dans l'être. J'aimais à penser que l'être livrait ainsi une once de *sa connaissance propre* — droitement, sans passer par le langage. Quand,

du fait d'aimer, je recevais en quelque sorte communication
de ce savoir dérobé, j'en concevais, sans autre preuve,
une joie, celle-ci opposable à la mort, comme si elle était
accordée spécifiquement pour cela. Inutile de dire l'apai-
sement que cela cause. Il me suffisait de penser à vous
dans cette idée heureuse pour que je me sente par moments
libéré du plus tenace des poids et porté ainsi jusque dans
un autre état par un principe à nous tous étranger. Celui-
ci pouvait être tangible puisque je le touchais du cœur.
Car tout ceci était sensible et non point seulement spé-
culatif, je ne vous le dirai jamais trop. Je désirais que
vous sachiez de moi l'existence de cette expérience personnelle et par conséquent le prix que certaines fois vous
aviez pour moi jusque devant la mort. Ce n'était pas peu
de chose, comme vous pouvez le lire ici. Je ne me souciais
pas de chercher si c'était illusion. Comment le démêler
quand les moyens de connaissance passent ceux de nos
vérifications? L'attrait que vous exerciez soutenait en moi
d'autres pensées que seulement celles du désir, duquel
j'avais néanmoins besoin au premier degré. Vous étiez
certaine de mon regard. Je suis certain que vous l'allumiez
sciemment. Vous étiez certaine que votre image était
toute ma vue. Je suis certain que vous le vouliez ainsi.
Vous frappiez mon désir. Vous étiez consciente de tout
cela et consciente que je l'étais aussi. Vous saviez cette
caresse. Elle était physique autour de vous, sur vous.
Mais vous deviez savoir aussi que vous étiez une cause
plus grande. J'avais à votre sujet d'autres pensées et
d'autres bonheurs que ceux de la seule convoitise. C'est
à vous que je les devais. Je vous les présentais. C'était,
de ma part, une offrande de retour.

Mais vous étiez trop distraite. Que vous importait
que votre chemin d'existence ne fût qu'un chemin vers
la mort? Il l'était à votre insu. Vous ne vous imaginiez
pas que l'indifférence où vous viviez par rapport à cela
fût déjà l'habitude insensible de la mort. J'étais pressé

de vous traduire mon sentiment sur ces choses-là. Mais vous ne pensiez même pas que la mort elle-même, de fait, pût être proche. Vous faisiez des pas réguliers et insensibles vers elle, comme dans un film muet où des acteurs tout inconscients sourient, ouvrent les lèvres, selon un scénario. Je m'intéressais à mes lentes découvertes sur l'être. L'amour me révélait celui-ci de la manière que j'ai dite. Je faisais des progrès dans cette connaissance. Il n'y a pas de culture sans pensée poursuivie. Mais vous ne conceviez pas la même urgence que moi pour ce qui est du désir que j'avais de vous faire part de l'assurance que j'avais trouvée dans le sentiment de l'être, désormais ferme grâce au sentiment de l'amour, lequel change l'être en être. Il me semblait que nous devions sauver ce temps précieux, — enfin, en tout cas, ne pas arriver un jour au terme sans avoir réfléchi tout cela l'un pour l'autre, non par des discours abstraits, mais au contraire comme un des aspects sensibles des beautés de l'amour et commentés uniquement pour l'émouvoir encore. Vous viviez au jour le jour, dans le bonheur que je vous ai décrit, et par conséquent vous n'aviez guère besoin d'autre chose. Pour vous, les jours étaient égaux et favorables. Le temps ne vous inquiétait pas. En votre absence, une certaine année, j'en vins à me rabattre puérilement sur quelques traces de vous, pour suppléer. Alors, je cherchais souvenirs, écritures personnelles, mais assez vainement, car au total il y avait peu de chose ou je connaissais trop bien ce peu. J'aurais voulu trouver encore un livre annoté, une lettre même indifférente, quelque nouvelle écriture de votre main, ou votre journal que je surprendrais. Notes fortuites sur quelques faits, désirs mis à nu, tels que vous les auriez vécus. Je tombais parfois sur un détail, par exception. Si peu pour mon besoin. À peine un reflet. Comme vos mains à prendre symboliquement dans les miennes un bref instant. Mais ce n'étaient que gages involontaires et rares, presque tromperies de mon imagination. Ces gages me donnaient l'impression, par moments, que je pouvais fonder sur eux quelque chose. Ils contribuaient à me garder dans un état d'attention constante. D'ailleurs, cela se comprend puisqu'ils me ravissaient, mais ils le faisaient quasi inexplicablement vu le peu qu'ils étaient réellement.

Mais je tourne autour d'une énigme dont on ne peut vraiment entendre un peu que la question qu'elle pose. Impossible de donner des réponses, encore une fois. On devine que l'être est grand. On apprend immédiatement, par l'amour, qu'il est impérieux et recèle des pouvoirs saisissants. On découvre qu'il ne veut pas être dissocié, scindé, exilé, rompu. La seule aventure du monde consiste vraisemblablement dans l'effort constant et extrême de l'être pour se river à l'être et ne plus jamais s'en voir bannir.

18

Mystère

Il y a des harmonies inscrites dans l'humain, mais, puissantes, elles sont néanmoins fragiles: l'amitié native entre les sexes, par exemple; mais notre époque idiote fait tout ce qu'elle peut pour planter le coin de l'hostilité dans cela même. Le regard, c'est-à-dire l'attention, au sens où l'entend Simone Weil, est l'unique moyen de l'âme ou en tout cas celui qui pour elle commande tous les autres décisivement comme un aiguillage. Or, rien n'est plus facile à dévoyer qu'un regard, de sorte que l'homme est au plus haut point corruptible. Naturellement, aucune idée n'échappe davantage à la mentalité actuelle.

Je n'écris pas une thèse; je vous écris. D'ailleurs qu'est-ce qu'on peut prouver? On ne peut rien prouver. Les plus grandes démonstrations comme les plus grands doutes sont à la merci d'une révélation misérable. De toute façon, les premières ne tiennent pas. L'histoire des sciences l'illustre d'une manière éclatante une fois par siècle environ. Une évidence, une apparition, fera tout s'écrouler et il n'y aura plus qu'elle à connaître: voilà comment pourrait se définir la vraie loi du savoir. Le dernier mot de tout et en réalité le premier, le seul, ne sera pas une vue de l'intelligence, même assurée, mais quelque révélation passée ou future, l'irruption de ce qui est, trouant tout discours. Il n'y aura rien d'autre. Rien d'autre n'est vraiment possible. Je me tiens au plus proche, dans cette idée.

Quand je vous parle de ce qui me semble le signalement de l'être au plus profond de lui-même selon l'expérience, je n'invoque pas comme des «preuves» les exemples que j'en donne, car je connais la valeur des «preuves», et celles-là, a fortiori, qui n'en sont même pas en intention, existent encore moins, n'existent pas. Dans l'ordre où je me place, elles n'ont aucune pertinence. Mais je dis, dans mon langage, que l'être se manifeste. Je dis que c'est lui-même qui le fait, sans notre machine à concevoir et à exprimer, sans notre machine à vouloir, et selon sa propre inintelligibilité pour nous, et puis avec vigueur et étrangeté, comme si alors un court-circuit rompait la chaîne des significations plus ou moins intellectuelles. Je le surprends. Il veut, de son propre chef; il ordonne; il est violent, par lui-même et sans demander la permission; et il réclame tout, le cas échéant, sans aucun égard. J'en ai donné quelques exemples. Ils montrent que l'être ne souffre pas la partition. Ils permettent aussi de l'observer sur le fait, directement dans sa sphère immémoriale.

Ceci n'est pas d'abord un propos philosophique. Ce dont il s'agit ici est intime, l'appréhension de l'être, fait actuel. Contempler l'être n'a rien d'un grand exploit. C'est un acte matériel, pour ainsi dire. L'être se touche. Mais dans une sorte d'autre royaume. Par vous, j'apprends de l'être qu'il est parfaitement adorable. Cette phrase ne constitue pas un compliment mais autre chose, qui est métaphysique et d'expérience, à quoi vous m'avez parfois livré accès, au-delà de vous et par vous-même.

Si l'être est adorable, c'est une très ancienne découverte, au demeurant. Elle est riche, elle ne s'épuise pas. Elle révolutionne certaines des pensées qui hantent l'humanité, comme elle l'a souvent fait au long d'une vieille histoire d'adoration, jamais terminée, sans cesse nouvelle.

Rien de ce qui précède n'est naïveté, car je ne prétends rien. Je me contente de regarder seulement. L'être dit tout autre chose que nous, et dans un état d'indépendance dont nous n'avons pas idée. Sa charge en propriétés inespérées est plausiblement sans mesure. Nous ne pouvons, nous, que l'épier à peine. Je crois percevoir, à des indices ténus, son extrême autonomie, et des vertus de force et d'immortalité qui seraient aussi les nôtres. Ce sont des attributs riants, doués d'une parfaite invulnérabilité et promis à une durée qui ne se démentirait pas.

Rien de cela ne m'était dit ou soufflé, et je le relevais d'un objet observé d'une manière assidue pour le bien que j'y trouvais. Mais hors de l'état d'amour, je crois bien que telle chose n'est pas du tout perceptible.

Votre éloignement faisait un creux qui ne pouvait être rempli que par vous-même. Toutes mes pensées travaillaient à vous tirer vers moi. Il y avait en moi cette certitude. Vous étiez cherchée sans fin par moi. Vous êtes partie une fois sans rien laisser, ni un mot, ni même quelque chose d'oublié. Vous êtes partie comme on quitte, sans un regard. Mais votre autre présence subsistait malgré ce départ net. C'était comme si vous persistiez à demeurer ici. Vous n'aviez éloigné de moi qu'une immédiate image, votre personne concrète, qui n'est pas tout de vous. Je n'avais qu'à me mettre en rapport avec ce qui en restait en moi, en vérité plus qu'une image: un être occupant un espace et susceptible d'enveloppement; en tout point votre réplique, et plus que votre réplique: votre réalité même, dédoublée, et que je pouvais aimer directement.

La comparaison classique de la flèche est exacte. Un jour, voulant vous rejoindre, ne le voulant pas, craintif, perplexe, paralysé, pour sortir de ce déséquilibre il aurait fallu que je vous arrache. Vous étiez fichée en moi. Mais, ne le pouvant pas, j'étais fixé durement par vous.

Vous êtes en rapport non seulement avec moi mais avec l'être en moi. À cause de cela, qui échappe à la représentation, mon regard fut parfois fasciné, stupide, pris, — ouvert sur vous comme s'il était hagard. Il ne savait pas ce qu'il détaillait, il ne pouvait le voir.

Il y a dilatation du sentiment comme des tissus du cœur et de toute la poitrine, mais on ne sait pas ce qu'il y a. Quel est le prix d'un seul point de bonheur complet dans une âme? Que veulent dire des yeux qui se rencontrent, puis un moment appuient et le veulent ainsi, en équilibre étrange? Ils disent on ne sait quoi, quelque chose de plus. Qu'est-ce qu'une lettre qu'on n'écrit pas, que veut-elle dire? Quel est ce silence, de quoi parle-t-il? Qu'est-ce que des mains qui consciemment ne se rencontrent pas, ne se touchent pas? Qu'est-ce qu'un mot qu'on n'a pas dit?

Voilà l'écart, ici illustré uniquement par tels petits faits depuis lesquels on passe à d'autres quasi sans y penser. Mais il y a cette faille qui ne se comble pas, représentée ici par un petit abîme de silence irréductible, par exemple à propos d'une lettre qui aurait pu être écrite et ne l'a pas été. Tout le silence de ce qui n'arrive pas est contenu comme échantillon de la distance de l'être au cœur des moindres silences mêmes. Qu'est-ce qui n'est pas dit? Ce silence est le vêtement du mystère. Pourquoi tel mot n'est-il pas prononcé? Serait-ce en fin de compte que l'espace est infranchissable entre les amants mêmes et que leur sort est menacé? Non pas l'espace entre un mot, de sens nécessairement restreint, et l'objet qu'on veut par lui faire entendre, car pour cela le pont se traverse aisément. Mais le silence fait entendre indistinctement autre chose, entre des êtres malgré tout divorcés. Et qui se veulent.

Dès qu'il y a silence, il y a cette interrogation. C'est pourquoi on le fuit tant. Alors, si l'on était réuni, il n'y aurait pas tant de non-dit. Dans cette condition, il n'y aurait d'ailleurs pas d'art, pas de lyrisme. Mais art et lyrisme sont bien peu de chose auprès de ce que nous tendons toujours à réaliser, la plupart du temps inconsciemment, travaillés comme nous sommes par une impatience vers l'être, dont nous savons, dont nous voyons par l'histoire et parfois par notre vie, qu'à l'occasion elle sort et se précipite sauvagement. Je ne m'intéresse plus guère qu'à ce que tend à signifier ce mystère-là.

Vous m'en avez révélé quelque chose et je ne l'aurais pas si bien aperçu autrement. Mais la passion de l'être, sous une banalité quotidienne qui enveloppe tout, s'efface comme le relief d'un terrain sous la neige. Même dans l'amour, elle peut aisément se cacher, se donner pour autre chose... Pour une aventure sentimentale, par exemple... Pour d'aimables chapitres de roman réellement parcourus par l'existence elle-même, laquelle serait plus ou moins romanesque... Or, il y a sous tout cela, et l'expliquant d'ailleurs en partie dans ces diverses formes amoindries, le dieu Être. Il n'est pas de notre monde. Il n'est pas à la mesure de nos petites affaires. Grâce à vous, je l'ai vu non comme une idée mais comme un fait. Fugitivement, précairement, mais qu'importe? Lui-même ne vacillait pas. Il était aussi amène que votre sourire mais éclairé autrement et par la source même, comme il y a des lumières qui ne sont pas des reflets.

19

Joie

J'incline à penser, sans aucune raison digne de ce nom, que ce que j'ai cru apercevoir de l'être en vous, grâce à l'amour: son existence libérée du temps, son caractère d'immortalité, et l'immunité qu'il semble non seulement posséder mais pouvoir communiquer aussi, et par surcroît le bonheur qu'il a l'air de porter en lui inséparablement, n'est pas une illusion mais une réalité simplement abyssale, qu'il nous est peu donné de pouvoir approcher elle-même par le sentiment ou le regard. Je l'ai connue par moments de cette façon, grâce à vous, parce que l'amour, me mettant dans une certaine prédisposition à la félicité peut-être, ou formant un chemin passant partiellement par d'autres régions que les espaces ordinaires, comment savoir? a été marqué pour moi par des stations au cours desquelles ce n'était plus uniquement vous-même que je considérais avec joie mais, en vous, par vous, de vous, fondamentalement, l'être lui-même, rayonnant avec une constance singulière. Mon attention quelquefois s'attachait au bonheur de cette contemplation d'un autre ordre, qui me rendait l'amour encore plus précieux, et vous-même plus précieuse parce que changée de rayonnement et d'univers.

Il y a une part de «mystique» en moi; il se peut qu'elle soit en cause ici. Ce que je croyais percevoir, pourquoi en douter plutôt que de ne pas en douter? Ce que je relevais de l'être en cette façon, c'est-à-dire par une sorte de toucher, c'est-à-dire exactement comme on constate par le bout des doigts les différences entre des tissus ou entre diverses surfaces, ces différences, dans le cas dont je fais état, pour être saisies par une autre sensibilité que celle du tact, de l'œil et des nerfs, n'en étaient pas moins précisément identifiables que les couleurs, par exemple, grâce aux impressions très distinctes qu'elles me laissaient. La créance comporte une grande part de gratuité, mais l'argument peut se retourner exactement contre les sceptiques. Si je vois une voiture foncer sur moi, il m'est loisible de douter de son mouvement et même de sa réalité, mais ce n'est pas nécessairement préférable... On ne saurait décider de cette réalité abstraitement. Tout dépend de l'effet, autrement dit de la révélation... Ainsi, pour le moment, car j'avais bien le temps, je me contentais d'identifier dans l'être, sans douter, la «couleur» de l'immortalité et celle de la joie, et je les méditais pour le bien qu'elles me causaient. Plus que la couleur, en vérité; quelque chose s'imposant davantage au sens que nous croyons avoir du réel: la lumière, la vibration de la substance; la radiation, c'est-à-dire sa matière même. Ce que je voyais ainsi de l'être avec mon cœur, j'en éprouvais bien-être et gratitude, à cause de ce qui, là, paraissait vivement m'être accordé contre la mort. Comment n'en pas aimer davantage votre amour?

L'immortalité, la joie, vues comme je vous vois. Non pas grâce à la magie de quelque texte, mais dans l'objet, et de lui. Cependant il n'est guère possible d'en dire plus puisqu'il s'agit d'un univers enveloppé, auquel on se met à croire un jour un peu parce qu'il l'est tant, et tellement plus même! et qu'il parle néanmoins, et qu'on ne comprend pas ce qu'il dit dans une langue étrangère! Ou bien l'on ne croit pas, ce qui en un sens est pareil. L'incroyance est partiellement croyance par ce qu'elle rejette et puisqu'elle est obligée de prendre à ce sujet une décision. Elle ne peut éviter de peser, de choisir, donc de douter de son doute. Mais moi je préférais vouloir entendre et aussi ne pas prendre à la légère ces divers signes non concluants. Je n'avais d'ailleurs pas à déterminer s'ils l'étaient, mais seulement à leur prêter une attention passive et consentante, puisque, comme tout phénomène, c'est à une attention que forcément ils s'adressaient, et je ne vois pas pourquoi la mienne se serait refusée à un phénomène. Il y avait là des faits: votre image immobile au fond de mon regard d'âme, votre image d'une autre provenance que celle trop simple de l'évidence de votre visage; au vrai, une lumière antérieure à celle de votre vue première; votre statue d'éternité. Mais comment vous faire entrevoir à vous-même cette vision à peu près intransmissible? Il reste qu'elle se présentait dans mon champ visuel intérieur et que j'étais à même de diriger sur elle mon désir, un désir différent de celui de la passion, — différent mais de non moins d'enchantement! Et puis, ajouterais-je, était-ce bien un désir, ou au contraire plutôt une joie déjà toute faite, toute donnée? Je pense que c'était une joie. Car elle était besoin et satisfaction tout à la fois ressentis, et persistants l'un et l'autre sans finir.

J'étais passé pour un moment de l'autre côté de ce qui sépare. Je m'en rendais compte à la durée manifestée dans l'être de votre être, durée comme révélée. Je ne voulais pas récuser de tels indices; je les considérais plutôt comme d'originales parcelles d'immortalité, d'immunité et de joie soutenue, volées à la pincée, par hasard, dans des trésors par ailleurs inaccessibles. J'ai voulu les tenir pour ce qu'ils paraissaient: d'authentiques propriétés de l'être, faiblement divulguées. Car pourquoi ne pas distinguer le sens ultime de ce qui est beau, du sens ultime de ce qui est laid ou indifférent? Pourquoi voir ce qui est

beau comme n'ayant pas de cause étrange? Pourquoi la
beauté dirait-elle la même chose que la laideur ou que
rien? Ce que nous connaissons est si étroitement fini et
ce que nous ignorons si infini, qu'il serait surprenant que
cet infini ne contienne pas dans des proportions sans
mesure cela même qui dans nos infimes réduits se trouve
seulement en quantités négligeables. Pourquoi nier la
continuité de l'adorable et n'admettre que celle du mé-
prisable, de part et d'autre de la limite séparant l'inconnu
du connu? Faut-il s'interdire de reconnaître, de notre côté
du monde, des phénomènes se produisant dans l'autre
et se propageant comme quelques flammes fortuites jusque
dans le nôtre? Et si ce qui, ici-bas, dit: «être», «joie, donc
durée», «lumière qui est», lors de la contemplation d'un
objet d'art ou d'une personne, pourquoi cela n'aurait-il
pas, hors de notre vue, dans l'insondable, sa contrepartie?
Pourquoi ces gages ne seraient-ils pas de simples parts
de ce qui est, et véritablement des gages de cela même?
Ce qui existe tend à faire preuve de ce qui existe. Il n'est
pas vrai qu'on découvre les vérités uniquement dans ce
qu'on appelle des conclusions, et l'on ne saurait jamais
rien si l'on ne devinait toujours quelque chose.

Il me suffisait de penser à votre amour, qui devenait
quelque chose de parfait en se liant avec le mien. Alors,
accomplie, cette perfection prenait une figure définitive,
quel que dût être son sort contingent. Dans cet état, elle
passerait par la mort sans en être atteinte. Je me sentais
par elle porté comme par une barque. Mon attention
fixée sur elle me rendait tout autre devant la pensée de
la mort. Au surplus, très indépendamment de cela, mon
sentiment irradiait d'une sorte de délice...

Hors l'amour, toute pensée est détachable de moi.
Une pensée ordinaire change et disparaît sans problème.
Mais dans l'amour, c'est autre chose: on le retrouve sans
cesse au fond de soi, inchangé, — contrairement aux

désirs, qui errent, se dispersent, sont instables, infidèles, s'oubliant, changeant d'objets.

Cependant, pour qu'il fasse apparaître à mes yeux les feux peut-être infinis de l'être, il fallait absolument que cet amour soit par vous partagé. Mon sentiment ne suffisait pas. Il fallait aussi le vôtre, qui achèverait ce tout. Il fallait que fût réalisé quelque chose, atteint un terme, nouée une boucle, accompli l'objet même, par votre confirmation, cette dernière fût-elle gardée légèrement incertaine, subtile suspension d'une grâce alors accordée parce que retenue...

Mais dès lors, il n'y avait plus d'obstacle à mon interprétation du fait *être*. Celui-ci m'était montré. Interprétation, mot à connotation intellectuelle, est insuffisant, ou plutôt ce n'est pas de cela qu'il s'agissait, mais d'exploration, sensorielle? immatérielle? Pour la première fois, par vous j'ai pu entrevoir un peu, non par supposition mais par l'exemple, par un fait qui en serait l'analogue lointain, ce que peut être l'amour mystique. Celui-ci, cet attrait absolu de l'être pour l'être, doit avoir quelque chose de dément. Je n'en ai pas l'expérience et je n'ai pas ce qu'il faut pour le connaître ou bien j'ai ruiné le peu de faculté que j'aie pu posséder pour cela. Cependant, je puis reconnaître ce que paraissent trahir des lueurs d'être, radieuses, de même que la force extrême de certaines lois du désir, celui de l'âme étant infiniment plus fort que celui du corps.

TABLE

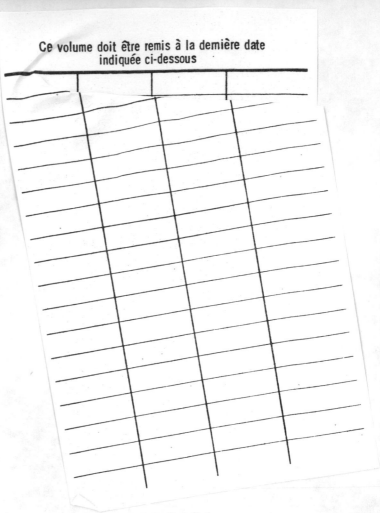

Ce volume doit être remis à la dernière date
indiquée ci-dessous

Achevé d'imprimer en septembre 1985
sur les presses des Éditions Marquis Ltée, à Montmagny,
pour le compte des Éditions du Boréal Express.